논·술·세·계·대·표·문·학

43

죄와 벌

표도르 미하일로비치 도스또예프스끼 | 이동진 엮음

H훈민출판사

모스크바 강 옆의 크렘린

The Best World Literature

도스토예프스키의 초상화

도스토예프스키가 다녔던 육군 공병
학교의 전경

도스토예프스키가 만년에 살았던 별장

페트라셰프스키 요새 – 사회주의 단체인 페트라셰
프스키에 가입한 도스토예프스키가 체포되어 8개월
동안 갇혀 있던 곳이다.

〈죄와 벌〉을 집필했던 아파트

〈죄와 벌〉의 삽화

도스토예프스키의 자필 원고

The Best World Literature

현재 모스크바의 거리

러시아 상트페테르부르크의 야경

구인환(丘仁煥)

서울대학교 사범대학 졸업. 동 대학원 졸업(문학박사)
서울대학교 명예교수, 소설가(현). 서울대학교 사범대학 국어교육연구소 소장(현)
문학과문학교육연구소 소장(현). 국제펜 한국본부 부회장(현)
한국소설문학상(1987). 예술문화대상(1994). 한국문학상(2000)
작품 〈숨쉬는 영정〉, 〈살아 있는 날들〉, 〈일어서는 산〉 외 다수

- **저서** 《한국단편소설의 이해》, 《한국현대소설의 비평적 성찰》,
  《고교생이 알아야 할 소설》, 《고교생이 알아야 할 세계단편소설》 외 다수

윤병로(尹柄魯)

성균관대학교 국어국문학과 졸업. 동 대학원 졸업(문학박사)
성균관대학교 교수, 문학평론가(현). 한국현대소설학회장(현)
한국문예학술저작권협회 이사(현). 한국간행물윤리위원회 위원(현)
한국펜 문학상(1987). 한국문학상(1988). 대한민국문학상(1989)
수필집 《나의 작은 애인들》 외 다수

- **저서** 《현대 작가론》, 《한국 현대 소설의 탐구》,
  《한국 근대 작가 작품 연구》, 《한국 현대 작가의 문제작 평설》 외 다수

홍성암(洪性岩)

고려대학교 국어국문학과 졸업. 한양대학교 대학원 국어국문학과 졸업(문학박사)
동덕여자대학교 교수, 소설가(현). 한국문인협회 회원(현)
한국소설가협회 이사(현). 국제펜 한국본부 소설분과 이사(현). 한민족 문화학회 회장(현)
창작집 《큰 물로 가는 큰 고기》, 《어떤 귀향》 외
대하역사소설 《남한산성》 (전9권) 외 다수

- **저서** 《문학의 이해》, 《현대 작가론》, 《한국 근대 역사소설 연구》 외 다수

기획 · 감수

1881년 간행된 〈카라마조프의 형제들〉의 표지

논술 *세계대표문학*을 펴내며

21세기의 사회는 '**전자 문명 시대**'라 일컬어질 만큼 오늘날 전자 산업은 우리 생활의 거의 모든 분야에 다양하게 응용되고 있습니다. 출판 분야 또한 예외는 아니어서, 종래의 서책(Book) 대신에 이른바 '전자책(CD-ROM)'의 출간이 최근 들어 날로 증가하고 있습니다.

그러나 이러한 전자책은 영상 또는 모니터상으로 흥미 위주나 백과사전식 지식을 습득하는 데는 효과적일지 모르지만, 문학 공부를 위해서는 별로 도움이 되지 않습니다. 바꾸어 말하면, 문학 공부는 각 지면마다 살아 숨쉬는 표현 하나하나를 독자 자신의 머리로 음미하면서 작품을 읽어 나가는 가운데, 풍부한 상상력의 배양과 함께 작가의 의도와 그 작품의 내면을 깊이 있게 이해함으로써 이루어지는 것입니다.

이에 훈민출판사에서는, 자라나는 학생들이 범람하는 영상 매체에 길들여지기 전에, 어려서부터 유명한 세계문학 작품들을 책자를 통하여 감명 깊게 읽고 감상함으로써, 올바른 문학 공부의 기틀을 다지고, 아울러 전인 교육도 할 수 있도록 《논술 세계대표문학(전60권)》을 펴내게 되었습니다.

작품 선정은, 초·중·고등학교 국어 교과서와 역사 교과서에 실리거나 소개된 문학 작품을 중심으로 하되, 그리스 신화와 성경 이야기 등의 고전에서부터 중세·근대·현대에 이르기까지 세르반테스·셰익스피어·톨스토이 등 세계 유명 작가들의 장·단편 소설들을 엄선·수록하였습니다. 또 세계의 명시도 별권으로 엮었으며, 특히 각 단락마다 '**논술 문제**'를 제시하여, 장차 대학입시를 비롯한 각종 '논술 고사'에 예비 지식을 쌓을 수 있도록 배려하였습니다. 아무쪼록, 이 《논술 세계대표문학(전60권)》이 자라나는 학생들에게 문학 공부의 주춧돌이 되고, 나아가 미래를 살아가는 데 **정신적 자양분**이 되기를 진심으로 바라 마지않습니다.

훈민출판사

차례

죄와 벌

도스토예프스키

지은이

1821~1881년. 러시아 모스크바에서 출생. 1838년 상트페테르부르크에서 육군 공병 학교에 입학하였으나, 문학에 뜻을 두어 군대를 제대한 이듬해에 〈가난한 사람들〉을 발표하여 문단에 데뷔하였다. 그러나 1847년 사회주의 단체인 페트라셰프스키회에 가입하여 정부가 금지했던 정치, 경제 책을 읽고 토론을 벌이는 활동을 하다가 1849년 경찰에 검거되어, 4년의 유배 생활과 4년간의 군 복무를 마쳐야 하는 벌을 받았다.

1857년 결혼 후에 〈죄와 벌〉을 발표하여 일시에 유명해졌다. 그 밖에도 〈죽음의 집의 기록〉, 〈지하 생활자의 수기〉, 〈백치〉, 〈악령〉, 그리고 그의 생애를 통한 사색의 집대성이라고 할 만한 〈카라마조프의 형제들〉을 집필하였다.

죄와 벌

추악한 공상

7월 초순 무더운 어느 날의 저녁이었다. 한 젊은이가 사람들의 눈을 피하듯이 골목에 있는 하숙집을 빠져 나와, 빠른 걸음으로 잽싸게 큰 거리를 향하여 걸어갔다.

젊은이는 하숙비가 잔뜩 밀려 있었기 때문에 주인 아주머니와 마주치기가 두려웠던 것이다. 자칫 잘못하여 주인 아주머니에게 붙잡히면, 아주머니는 귀찮은 하숙비 독촉은 물론 으름장을 놓을 것이 뻔했다. 아주머니에게 우는 소리로 시달림을 당하는 것은 참 괴로운 일이었다.

그는 또, 거기에 대해서 핑계를 대거나 사과를 하거나 거짓말을 하거나 하는 것은 딱 질색이었다. 그가 생각하기에는 차라리 고양이처럼 살그머니 빠져 나와 아무한테도 들키지 않게 도망쳐 버리는 편이 나았다.

거리에 나선 젊은이는 무슨 볼일이라도 있는 사람처럼 인파 속으로 섞여 들어갔다. 문득 그는 어떤 여자를 만나는 것쯤의 일을 자신이 그토록 두려워했다는 사실에 대해 어처구니없다고 생각하였다.

'무슨 일이건 크게 한번 저질러 보려고 하면서도, 이런 시시한 일에 겁을 먹다니!'

그는 묘한 미소를 지으며 생각하였다.

'흥, 그렇지……. 무슨 일이든 사람의 손으로 못할 일은 없어. 그런데 그저 겁 많은 탓으로 그걸 죄다 그냥 지나쳐 버리는 거야. 그건 그렇고, 나는 정말 그 일을 해낼 수 있을까? 그 일이 진정 옳은 일이라고 할 수 있을까?'

거리는 숨이 턱턱 막힐 정도로 무시무시한 더위가 기승을 부리고 있었다. 붐비는 사람들과 소음, 어디에나 널려 있는 석회, 목재, 벽돌 쓰레기, 페테르스부르크 사람이라면 누구나 잘 알 수 있는 여름의 특별한 악취, 그런 것들이 하나가 되어, 그렇지 않아도 머리가 이상해진 이 젊은이의 신경을 더욱더 불쾌하게 자극하였다.

젊은이는 뛰어난 미남이었다. 눈은 검고 아름다웠으며, 머리카락은 짙은 밤색이었고 키는 다른 사람들보다 훨씬 크고, 몸매가 날씬하였다.

그는 깊은 생각에 빠진 듯, 주위의 광경과 스쳐 가는 사람들에게는 곁눈질도 하지 않은 채 걸어갔다. 그런데 그 모습은 몹시 기운이 없었고 내딛는 다리가 눈에 띄게 휘청거렸다. 아닌게아니라, 그는 벌써 이틀 동안이나 아무것도 먹지 않았다.

생김새와는 달리, 그의 옷차림은 매우 허술하여 남의 눈길을 살짝 끌 정도였다. 다른 사람이라면 그런 초라한 옷을 입고서는 도저히 밝은 거리로 나설 수 없을 정도로 너절한 옷을 걸치고 있었다.

그 때, 큰 짐마차에 올라앉아 거리를 지나치던 주정뱅이가,

"야아, 이것 봐! 독일놈의 벙거지!"

하고 손으로 그를 가리키며 소리쳤다.

순간 젊은이는 흠칫 걸음을 멈추고는 반사적으로 자기 모자를 움켜쥐었다. 그 모자는 정수리가 높고 둥그런 침메르만 제품 같았다. 그런데 이제는 낡을 대로 낡아서 색이 바랜 형편 없는 것이었다.

그러나 지금 젊은이가 모자를 움켜잡은 것은 창피해서가 아니라, 당황하고 놀란 마음 때문이었다.

'내가 그럴 줄 알았어. 이 모자는 너무 눈에 띄어! 1킬로미터 밖에서도 눈에 띄어 누구나 곧 기억할 거야. 중요한 건 기억에 남지 않는 거다. 그건 증거가 되니까! 대수롭지 않은 작은 일이 큰 일이 될 때가 많지……'

젊은이가 가야 할 길은 그리 멀지 않았다. 그는 자기 하숙집 대문 앞에서부터 그 집까지 몇 걸음이나 되는가 하는 것까지도 잘 알고 있었다. 꼭 7백 30걸음이었다. 언제였던가, 한 가지 일을 공상하고 있을 즈음에 세어 본 적이 있었다. 그러나 그 즈음에는 아직도 자기 자신이 그 공상을 믿고 있지는 않았다.

다만, 추악하지만 매력적인 그 일에 자극을 받고 있을 뿐이었다. 그러던 것이 한 달이 지난 지금에 와서는 생각이 크게 바뀌어, 어느 틈에 그 추악한 공상을 하나의 계획으로 깊이 생각하기에 이르렀던 것이다. 그래서 그는 실제로 지금, 그 계획의 예행 연습을 해 보기 위하여 이렇게 걸어가고 있는 것이었다. 그러다 보니 한 발짝 한 발짝 발걸음을 옮겨 놓을 때마다 가슴은 한층 더 두근거리는 것이었다.

그는 심장이 멎어 버릴 것 같은 느낌과 입술이 타는 듯한 두려움을 느끼면서 큰 집으로 다가갔다. 그 집은 한 쪽은 개천으로, 다른 한 쪽은 시가지로 향한 굉장히 큰 집이었다.

이 집은 전체가 조그마한 셋방들로 이루어져 있다. 거기에는 삯바느질 집, 자물쇠 장수, 여자 요리사, 여러 사람의 독일인, 술집 여자, 하급 관리 등 온갖 종류의 직업을 가진 사람들이 세들어 살고 있었다. 그래서 드나드는 사람들이 두 개의 대문과 두 개의 안마당에서 쉴새없이 붐비고 있었다. 그리고 거기에는 3,4명의 문지기가 지키고 있었다. 젊은이는 그 문지기들에게 들키지 않은 것을 다행으로 여기면서 대문 안으로 들어섰다. 그러고는 곧 오른쪽 계단 입구로 슬며시 미끄러져 들어갔다.

그 계단은 어둡고 좁은 '뒷문 사다리'였다. 그 젊은이는 이미 모든 것을 알아 내고 연구했기 때문에, 이런 구조가 마음에 들었다. 그것은 바로 누구에게 들킬 염려가 없기 때문이었다.

'벌써부터 이렇게 겁을 먹는다면, 막상 일을 실행할 때가 되면 정말 어떻게 될까?'

그는 4층으로 올라가면서 문득 이런 생각을 하였다. 거기에 올라가자 어느 집에서인가 가재도구를 끌어내고 있는 제대병 같은 인부들이 그의 앞길을 막고 있었다. 젊은이는 전부터 그 집에는 독일인 관리의 가족이 살고 있다는 것을 알고 있었다.

'음, 그 독일인이 이사를 가는가 보군. 그렇다면 4층에는, 이 계단과 계단참에는 당분간 노파만 살고 있는 셈이 된다. 이거 잘 됐는걸, 만일의 경우에도……'

그는 또다시 이런 생각을 하면서 노파의 방 초인종을 눌렀다. 초인종은 희미한 소리를 내면서 울렸다. 그 맑지 못한 소리를 듣는 순간, 젊은이는 무슨 생각이 떠올랐는지 움찔 몸을 떨었다. 그의 신경은 극도로 예민해져 있었다.

잠시 후 문이 빠끔히 열리고, 그 문 틈으로 주인 노파가 얼굴을 내밀었다. 그러더니 수상쩍다는 듯이 젊은이의 위아래를 훑어보았다. 그 조그만 눈이 어둠 속에서 반짝 빛을 냈다. 그러나 계단참에 사람들이 많은 것을 본 노파는 용기를 얻은 듯이 문을 열었다. 젊은이는 문지방을 넘어서서, 칸막이로 막은 어둑한 방 안으로 들어섰다. 칸막이 저쪽은 비좁은 부엌이었다.

노파는 심술궂고 날카로운 눈에 끝이 뾰족한 작은 코를 가졌고, 몸집이 작달막한 예순 살 안팎으로 보이는 바짝 마른 여자였다. 노파는 자기 눈앞에 서 있는 젊은이의 눈에서 그 어떤 심상치 않은 빛이라도 발견하였는지 갑자스레 의심하는 태도를 보였다.

"라스콜리니코프예요. 왜, 저 대학생인……. 한 달 보름 전쯤에 찾아뵌 적이 있었지요?"

라스콜리니코프는 좀더 상냥하게 대해야겠다고 생각하고, 허리를 굽혀 일부러 잔기침을 하며 말하였다.

"기억하고 있어요. 그럼요, 잘 기억하고 있지요. 당신이 여기에 오셨다는 걸!"

노파는 여전히 라스콜리니코프의 얼굴에서 눈을 떼지 않고 경계하는 태도로 말하였다.

"그래서 말이죠. 저어, 실은 볼일이 있어서……."

라스콜리니코프는 노파의 의심쩍어 하는 태도에 놀라서 허둥지둥 말을 이었다.

'하지만 이 노파는 언제나 이렇겠지. 전에는 내가 그걸 미처 몰랐을 테지!'

노파는 무슨 생각에 잠긴 듯이 잠시 동안 잠자코 있었다. 그러더니 이윽고 몸을 비키면서 안쪽으로 통하는 문을 가리키며 말하였다.

"그럼, 들어오시구려!"

라스콜리니코프가 안내되어 들어간 방은 그다지 넓지 않았다. 누런 벽지와 창가에 놓인 몇 개의 제라늄 화분과 무명실과 비단실을 섞어서 짠 커튼이 보였다. 그 때 마침, 저물어 가는 저녁 햇빛이 환히 비치고 있었다.

'그 때에도 필시 이 모양으로 햇빛이 비쳐들 테지…….'

그 순간 라스콜리니코프의 머리 속에서 이런 생각이 번득였다. 그는 할 수 있는 데까지 방 안의 모양을 연구하고 기억해 두기 위하여 재빨리 모든 것을 훑어보았다.

그러나 거기에는 이렇다 할 물건은 아무것도 없었다. 가재도구는 어느 것이나 몹시 낡은 누런 목재 제품뿐이었다. 다만, 커튼이 쳐진 그 안쪽에 작은 방이 하나 있었는데, 노파의 침대와 장롱이 놓여 있었다. 노파의 거처는 결국 두 개의 방으로 이루어져 있었다.

"볼일이라니, 무슨 일이지요?"

노파는 라스콜리니코프의 코앞에 바짝 다가서서, 날카로운 목소리로 물었다.

"전당 잡히려고 왔습니다. 이걸 말입니다."

라스콜리니코프는 주머니에서 낡고 얄팍한 은시계를 꺼내었다. 그 뒤뚜껑에는 지구의 그림이 그려져 있었고, 시계 줄은 강철로 만든 것이었다.

"언제나 시시껄렁한 것만 가져오는군 그래. 당신도……. 이런 건 한 푼어치도 되지 않는다고요!"

"한 4루블만 꾸어 주세요! 꼭 갚을 테니까요."

"1루블 반이지. 그것도 이자는 선불이고. 그래도 좋다면 말이야!"

"1루블 반!"

라스콜리니코프는 신음하듯 소리쳤다.

"좋을 대로 하라고!"

노파는 시계를 그에게 내밀었다. 라스콜리니코프는 그것을 받아들고 화난 듯이 이내 돌아서려고 하였다. 그러나 달리 갈 곳도 없고, 게다가 여기에 온 것은 또 한 가지 다른 목적이 있다는 것을 생각하고는 마음을 돌렸다.

"그렇게 해 주시오!"

그는 퉁명스럽게 말하였다. 노파는 주머니에 손을 넣어 열쇠를 더듬어 찾으면서, 커튼 저쪽에 있는 안방으로 갔다. 라스콜리니코프는 열심히 귀를 기울이고 생각을 집중하였다. 장롱을 여는 소리가 들려왔다.

'음, 윗서랍 같아!'

그는 생각하였다.

'그렇다면 저 노파, 열쇠는 오른쪽 주머니에 넣었나 보군……'

노파가 돌아왔다. 라스콜리니코프는 돈을 받아들었다. 그러나 노파의 얼굴을 응시한 채, 무슨 할 말이 있는 듯, 바로 돌아서려고 하지 않았다.

"어쩌면 말이죠. 알료나 이바노브나 할머니! 며칠 안으로 또 물건을 가지고 올지도 모릅니다. 은제품으로. 근사한 담뱃갑이랍니다. 제 친구한테서 가지고 올 테니까요……."

그는 우물쭈물하다가 입을 다물었다.

"그건, 글쎄 그 때 봅시다."

"그럼 안녕히……. 그건 그렇고, 할머니는 늘 혼자 계시는 것 같군요. 동생 되시는 분은 어디 가셨나요?"

그는 입구의 방에서 나오면서 되도록 아무렇지도 않은 듯이 물었다.

"우리 여동생한테 볼일이라도 있다는 말이오?"

"아니에요! 그저 물어 봤을 뿐이에요. 안녕히 계십시오. 알료나 이바노브나 할머니!"

라스콜리니코프는 그만 갈팡질팡하면서 밖으로 나왔다. 계단을 내려오면서도 갑자기 누구한테 습격을 당하기라도 한 것처럼 몇 번이고 멈춰설 지경이었다. 그는 가까스로 거리로 나와 외치듯 말하였다.

"아아, 정말 더러워! 정말이지 난, 정말 난……. 어리석다!"

그는 또 이렇게 중얼거렸다.

"하지만 어째서 그런 무서운 생각이 내 머리에 떠올랐을까? 그렇다고 하더라도 어쩌면 그렇게 추악한 일을 생각해 낸단 말인가! 그렇게 추잡하고 지저분한 생각, 아아! 불쾌해. 정말 불쾌하다! 더구나 꼭 한 달 동안이나……."

그러나 그는 말로도, 아우성으로도 자신의 흥분을 표현할 수가 없었다. 노파의 집을 떠났을 때부터 벌써 그의 마음은 압박을 받았고, 혼란에 빠지기 시작하였던 것이다. 그 혐오감이 이제는 어찌나 커지고 명백해졌는지, 지금은 그 고민으로부터 어디로 향해 빠져 나가야 할지 모를 지경이었다.

그는 마치 술 취한 사람처럼, 거리를 오가는 사람들도 아랑곳하지 않고, 부딪치기도 하면서 비실비실 인도를 걸어가고 있었다. 그는 큰길에 와서야 비로소 제정신이 돌아왔다. 주위를 살펴보니, 자신은 술집 옆에 서 있고, 그 입구는 인도로부터 계단을 따라 아래 지하실로 내려가게 되어 있었다.

오래 생각할 것도 없이 그는 바로 아래로 내려갔다.

이상한 만남

라스콜리니코프는 아직 술집에 들어가 본 적이 한번도 없었다.

그렇지만 지금은 어지러운 데다가 목이 타는 듯한 심한 갈증에 시달리고 있었다. 그는 어둡고, 시끄럽고, 지저분한 구석의 끈적끈적한 탁자 앞에 앉아서 맥주를 주문하여 첫 잔을 단숨에 들이켰다. 그러자 금세 기분이 개운해지고 정신이 번쩍 들었다.

"이건 모두 아무것도 아니야!"

그는 한 가닥 희망을 느끼면서 혼잣말로 중얼거렸다.

"당황할 건 하나도 없어. 몸이 좀 불편할 뿐이야! 한 잔의 맥주와 한

조각의 건빵으로 대번에 이렇게 머리가 맑아지고 의지도 강해지지 않는가!"

침이라도 탁 뱉고 싶은 기분이 되었다. 그는 갑자기 무슨 무겁고 큰 짐이나 벗어 놓은 듯이 홀가분해지면서 주위 사람들에게 정다운 눈길을 보냈다.

세상에는 전혀 알지 못하는 사이인데도 서로 말을 건네기도 전에 흥미를 느끼게 되는 이상한 만남도 있는 법이다.

조금 떨어진 자리에 앉아 있는 퇴직 관리인 듯싶은 손님이, 마침 그러한 인상을 라스콜리니코프에게 심어 주었다. 어쩐지 그쪽에서도 그와 이야기하고 싶어하는 눈치가 역력히 보였다. 그 관리는 자리에 있는 다른 손님들이나 술집 주인과는 이미 서로 잘 알고 있는 듯, 그들에게는 전혀 무관심한 태도를 취하고 있었다.

그는 이미 50줄을 넘어선 보통 키의 단단한 체격을 가진 사나이였다.

반백이 다 된 머리는 꽤 많이 벗겨져 있었고, 늘 술에 절어서 부석부석한 얼굴은 누렇다기보다는 오히려 푸르뎅뎅해 보였다. 푸석한 눈꺼풀 속으로 조그맣게 금이 간 듯한 충혈된 눈이 번득이고 있었다.

그는 거의 누더기가 되다시피 한 낡은 검은색 연미복을 입고 있었다. 단추도 다 떨어지고 겨우 한 개가 달려 있었는데, 그나마 체면을 잃지 않으려는 듯 꼭 잠그고 있었다. 무명 천으로 된 조끼 밑으로 수세미가 되다시피 한, 술로 얼룩진 셔츠의 앞자락이 삐져 나와 있었다.

그러나 그의 태도에는 어딘지 모르게 관리다운 의젓한 데가 있었다. 그런데 뭐가 그리 불안한지 계속 머리를 긁적거리며, 때로는 시름에 잠겨 끈적끈적한 탁자에다 구멍 뚫린 팔꿈치를 괴고, 두 손으로 머리를 감싸 쥐곤 하였다. 그러다 마침내 그는, 라스콜리니코프를 정면으로 바라보면서 큰 소리로 또렷하게 말을 걸어 왔다.

"저, 미안하지만 내 말동무 좀 되어 줄 수 있겠소? 보아하니 당신의 옷차림은 초라하지만 교양 있는 분 같고, 술도 별로 잘하는 편이 아닌 듯싶구려! 나는 교양을 존중하는 사람으로 9등관 마르멜라도프라고 합니다. 실례지만 당신은 어디 직장에라도 다니십니까?"

"아니올시다. 공부하는 중입니다."

라스콜리니코프는 이렇게 대답하였다.

"그럼 대학생이라는 말이오? 내 풍부한 경험으로 미루어 보아, 나도 그렇게 생각하고 있었소!"

그는 자랑스러운 듯이 이마에 손가락 하나를 대면서 말하였다.

"당신은 학생 아니면, 어느 정도 학문을 익힌 사람일 거라고 말이오! 그럼 잠깐 실례 좀 할까요?"

마르멜라도프는 비틀비틀 일어나더니 자기 술병과 컵을 들고, 라스콜리니코프 앞으로 다가와서 자리를 잡고 비스듬히 앉았다. 그는 몹시 취해 있었지만 웅변조로 제법 잘 지껄여 댔다.

"이봐요, 학생 양반!"

그는 자못 위엄 있는 목소리로 말을 하기 시작했다.

"흔히들, 가난은 부끄럽게 여길 게 아니라고 말하지요! 하지만 굶어 죽을 지경이 되어 보라고 하시오. 그러면 그런 배부른 소리가 나오나. 가난도 지나치면 훌륭한 죄가 되는 것이오! 그런데 학생, 네바 강의 건초를 실은 배에서 자 본 적이 있소?"

"아뇨, 없습니다."

"참 다행이오. 나는 거기서 잤소! 벌써 5일 밤째 되었소."

그 말을 듣고 나서야 알아차렸는데, 그의 옷과 머리카락에는 마른 풀들이 붙어 있었다. 그 때, 카운터 쪽에서 낄낄거리며 웃는 소리가 들려왔다.

"이봐, 어릿광대! 관리라면서 왜 관청에는 나가지 않지?"

술집 주인은 놀려대듯이 큰 소리로 말하였다. 마르멜라도프는 이 술집의 오랜 단골 손님인 모양이었다. 그리고 그의 웅변조의 말투는 아마도, 낯선 사람들을 상대로 지껄여 온 습관이었던 것 같았다.

"왜 관청에 나가지 않느냐고? 그럼 학생!"

마르멜라도프는 마치 라스콜리니코프가 물어 보기라도 한 듯, 오로지 그만을 바라보면서 말을 이었다.

"내가 아무 일도 하지 않고 빈둥거리고 있다고 해서, 내게 양심이 조금도 없는 줄 아시오? 실례지만 학생, 학생한테는 이런 일이 없었던가요? 이를테면 가망도 없는 사람한테 돈을 꾸려고 한 일 말이오!"

"있습니다. 하지만 왜 가망이 없다는 거지요?"

"지금 나는 전혀 가망이 없을 때를 말하는 거요. 지난번에 누군가는, 동정이란 학문상으로도 금지되어 있다고 하더군요. 그런 사람이 돈을 꾸어 주겠습니까? 그런데도, 나는 돈을 꾸어 주지 않을 것을 뻔히 알면서도 그 사람을 또 찾아갑니다. 아시겠어요?"

"무엇 때문에 찾아갑니까?"

라스콜리니코프는 이상하게도 슬픔 같은 것을 느끼면서 물어 보았다.

"찾아갈 사람도 없거니와 찾아갈 만한 곳도 없으니 할 수 없지요. 어떤 사람이든 적어도 발길 돌릴 데쯤은 있어야 하지 않겠소? 살아가노라면 어디로든지 꼭 가야만 하는, 그럴 때가 종종 생기게 마련이오."

마르멜라도프는 거의 혼잣말을 하듯 말을 이어나갔다.

"이봐요, 젊은 학생! 나는 당신의 얼굴 표정에서 뭔가 슬픔 같은 것을 엿볼 수 있었소. 당신이 여기에 들어왔을 때 나는 순간적으로 느꼈소. 당신 앞에서 내 신세 타령을 늘어놓은 것도, 내가 새삼 다시 말하지 않더라도 이미 다 알고 있는 저기 저 사람들한테 망신을 당하고 싶어서가 아니오. 나는 무엇인가 느낄 줄 아는 마음을 지닌 교양 있는 사람을 찾기 위해서라오. 아, 하다못해 내 아내가 나를 동정해 줘도…….
아내는 내 머리카락을 휘어잡고 끌어당긴다오."

그는 머리를 감싸며 탁자에 얼굴을 파묻었다.

"그럴 수밖에 없지."

카운터에서 술집 주인이 하품을 하면서 말하였다. 그 말에 여기저기서 웃음을 터뜨렸다. 그런 놀림에도 아랑곳하지 않고 마르멜라도프는 다시 고개를 들고 이야기를 계속 하였다.

"아내는 대령의 딸이었소. 내 아내 카테리나 이바노브나는 옛날 귀족 여학교를 졸업할 때, 지사 각하와 높은 양반들 앞에서 금메달과 상장을 받았습니다. 그런데 그 메달도 이미 팔아먹었소. 상장만은 아직 아내의 트렁크 속에 간직되어 있지만……."

그의 눈에 눈물이 고여 그가 불빛 쪽으로 얼굴을 돌린 순간 반짝 빛났다.

"아내는 몹시 신경질적인 사람이라오. 웬만한 일에도 곧잘 화를 내고 울어 버려요. 요즘은 폐가 나빠졌는지 피를 토하더군요. 아이는 아직 어린것들이 셋, 그 위로 열여덟살 된 소녀가 있지요. 소녀는 내 전처가 낳은 딸인데, 카테리나는 그 아이를 못 살게 굴어요. '좀더 돈벌이가 되는 일을 하면 어때?' 하고 말이에요."

그는 절망한 사람처럼 거칠게 탁자 위에 엎드렸다. 잠시 후 고개를 든 그의 얼굴은 눈물로 젖어 있었다.

"그 때는 5시가 좀 지나 있었지. 소녀가 갑자기 일어서더니 모자가 달린 외투를 입고 방에서 나가더군요. 그 아이가 돌아온 것은 8시가 지나서였어요. 돌아오자마자 그 아이는 아내 앞에 30루블이나 되는 은화를 내놓았소. 말 한마디 없이 눈을 내리깐 채 말이오. 그 때 술에 취해 누워 있었지만, 나는 똑똑히 보았소. 소냐의 침대로 다가간 카테리나는 꿇어앉아 그 아이의 발에 키스를 했소. 키스를!"

갑자기 말을 끊은 마르멜라도프는 거칠게 술을 따라 단숨에 들이켰다.

"학생, 그 때서야 내 마음은 비로소 불타올랐소. 이튿날 아침 나는 하느님께 기도를 드리고, 이반 아파나시 에비치 각하를 찾아갔소. 모든 것을 사실대로 말씀드렸지요. 각하께서, '내 개인의 책임으로 한 번만 더 채용하지' 하고 말씀하셨소. 나는 거의 날다시피 하여 집으로 돌아왔소."

그는 잠시 침을 삼키고는 다시 말을 이었다.

"아내는 어디서 마련하였는지 11루블 반이나 끌어모아 제복을 마련해 주었소. 그런데 술 때문에……. 아내가 어렵게 맞춰 준 제복은 술값으로 날아가 버렸소. 한 달 동안 근무하여 받은 급료의 나머지가 아내의 손궤 속에 들어 있었소. 그걸 몽땅 들고 집을 뛰쳐나온 것이 닷새 전이오. 물론 관청에서는 파면되었고……."

마르멜라도프는 손으로 이마를 두드리며 소리쳤다.

"그 돈도 곧 없어져 버렸소. 그래서 오늘은 소피아 세묘노브나(소냐의 정식 이름)한테 들러서 해장 술값을 달라고 떼를 썼지요. 헤헤헤!"

순간, 주위는 물을 끼얹은 듯 조용해졌다. 그러나 곧 여기저기서 웃음소리와 욕설이 터져 나왔다.

"그래, 주던가?"

술집 주인이 다가오며 빈정거렸다. 라스콜리니코프는 더 참을 수가 없어서 벌떡 일어섰다.

"자, 이제 그만 나갑시다!"

"바래다 주지 않겠소? 난 아내에게로 돌아가야 하오."

마르멜라도프는 라스콜리니코프의 얼굴을 올려다보며 애원하듯 말하였다. 그의 집은 술집에서 2, 3백 걸음쯤 떨어진 곳에 있었다. 그는 매우 지쳐 있어서 라스콜리니코프는 그를 껴안다시피 하여 술집을 나왔다.

"지금 내가 두려워하고 있는 건 내 아내가 아닙니다. 그 사람이 내 머리카락을 잡아뜯을까 봐 두려워하는 게 아니란 말이오."

집에 가까워질수록 그의 취한 얼굴에는 공포의 빛이 뚜렷해졌다. 그들은 안뜰을 지나쳐 4층으로 올라갔다.

거의 11시가 가까웠다. 위로 올라갈수록 계단은 점점 더 어두워졌다. 맨 위 계단 끝에 연기에 그을린 조그만 문이 열려 있었다. 방 전체가 문간에서 한눈에 들여다보였다. 촛불 하나가 초라한 그 방을 비춰 주고 있었다. 제일 먼저 눈에 띈 것은 어린아이들의 누더기였다. 그것을 보자마자 라스콜리니코프는 자기도 모르게 눈살을 찌푸렸다.

방 안에는 다 낡은 식탁과 두 개의 의자, 그리고 쇠촛대가 식탁 위에 놓여 있을 뿐, 쓸 만한 가구라고는 아무것도 없었다. 어두운 방 한구석에 구멍투성이인 휘장이 드리워져 있었다. 그 뒤에 가족의 침대가 놓여 있는 모양이었다.

라스콜리니코프는 이내 카테리나 이바노브나를 알아 보았다. 그녀는 후리후리한 키에 아름다운 밤색 머리카락을 가진 몹시도 여윈 여자였다.

그녀는 가쁜 숨을 몰아쉬며 작은 방을 이리저리 거닐다가 갑자기 고함을 질렀다.

"돌아왔군, 이 짐승 같은 놈! 돈은 어떻게 했어? 아니, 옷도 다르군!"

그녀의 바짝 마른 입술이 파르르 떨렸다. 그녀는 눈을 번들거리며, 남

편에게 달려들어 옷을 뒤지기 시작하였다.

"모두 마셔 버렸군! 12루블이나 남아 있었는데, 그걸 다 마셔 버렸어!"

불행한 여자는 절망적으로 외치며 미친 듯이 마르멜라도프의 머리를 휘어잡아 방 안으로 끌어들였다. 자고 있던 아이들이 깨어 울기 시작하였다.

문득 고개를 돌린 카테리나는, 이번에는 라스콜리니코프에게 달려들었다.

"술집에서 왔군! 이 사람과 같이 마셨지? 돈을 쓰게 하다니 부끄럽지도 않아요? 나가요, 어서 나가!"

라스콜리니코프는 아무 소리도 하지 않고 방에서 나왔다. 복도 안쪽으로 난 문이 몇 개인가 호기심 어린 얼굴들이 이쪽을 지켜보고 있었다.

문득 생각난 듯 멈춰선 라스콜리니코프는 주머니를 뒤져, 돈을 있는 대로 털어 냈다. 그리고 뒤돌아서서 마르멜라도프의 방 창틀에다 가만히 놓아 두었다.

계단을 내려오다말고 그는 잠깐 망설였다.

'공연한 짓을 했군. 마르멜라도프에게는 소냐라는 딸이 있어. 돈이 급한 건 오히려 나야…….'

라스콜리니코프는 머리를 한번 내젓고는 망설이던 걸음을 떼어 그의 하숙집으로 향하였다.

어머니의 편지

다음 날 아침, 라스콜리니코프는 느지막이 불안한 잠에서 깨어났다.

그러나 잠도 그의 기운을 북돋아 주지는 못하였다.

그가 하숙하고 있는 방은 벽지가 군데군데 떨어져 늘어진, 먼지투성이의 몹시 초라하고 조그마한 방이었다. 어쩌면 방이라기보다는 일종의 짐승 우리와도 같은 곳이었다. 그리고 천장이 어찌나 낮은지, 키가 좀 큰 사람이면 머리를 부딪힐까 조마조마할 정도였다.

가구라고는 낡아빠진 의자 세 개와 한구석에 놓여 있는 페인트 칠을 한 책상 하나가 있을 뿐이었다. 그 책상 위에는 몇 권의 노트와 책이 놓여 있었는데, 먼지가 뿌연 것으로 보아 오랫동안 손을 대지 않은 것이 분명하였다. 그리고 꼴사나운 긴 의자 하나가 있었는데, 거기에 씌워 놓은 덮개는 거의 누더기가 되어 있었다. 그것이 바로 라스콜리니코프의 침대 역할을 하고 있었다.

그는 그 긴 의자 위에서 이불도 없이 옷을 입은 채 낡아빠진 학생용 외투를 뒤집어쓰고 잠을 잤다.

"젠장, 이제 더 이상 쪼들리고 싶지는 않아!"

그가 불쾌하고 초조한 심정으로 이렇게 중얼거리고 있을 때, 하녀 나스타샤가 방으로 들어왔다.

나스타샤는 시골에서 올라온 여자인데, 어지간히 수다스러웠다.

"주인 아주머니가 말이죠, 당신을 경찰에 고발하겠다고 하던데요?"

그녀의 말에 라스콜리니코프는 눈살을 잔뜩 찌푸렸다.

"경찰이라고? 무엇 때문에?"

"돈도 내지 않고, 이사도 가지 않으니까 그렇지요! 뭐, 뻔한 일 아니에요?"

"쳇, 이런 대접을 하고도 모자라는 모양이지?"

그는 이를 갈면서 중얼거렸다.

"하지만 지금의 내 처지로는 좀 곤란해. 그 여자는 정말 바보야."

그는 목소리를 높여 덧붙였다.

"어디, 오늘은 주인 아주머니를 만나서 담판을 내야지."

"아주머니도 참 바보이기는 하지만, 하기야 나도 마찬가지란 말이에요. 그런데 당신은 어떻게 된 셈이죠? 매일 아무것도 하는 일 없이 그저 뒹굴고만 있으니 말이에요. 저번에는 아이들을 가르치러 간다더니, 요즘은 왜 아무것도 하지 않는 거죠?"

"하고 있다니까!"

라스콜리니코프는 귀찮다는 듯이 퉁명스럽게 대답하였다.

"뭘 하고 있지요?"

"일하고 있지 뭘 해……."

"무슨 일이죠?"

"생각하는 일!"

그는 심각하게 대답하였다. 그런데 나스타샤는 웃음을 터뜨리고 말았다.

"돈이라도 듬뿍 생각해 내고 있나요?"

나스타샤는 농담 비슷하게 말하더니, 무언가 생각난 듯이 얼굴색을 바로 하고 말하였다.

"아 참, 그렇지. 깜박 잊었네! 당신이 없는 사이에 편지가 왔더군요."

"편지? 나한테! 어디서?"

"어디선지 내가 어떻게 알아요. 나는 우체부한테 3코페이카나 뜯겼다고요. 갚아 주시는 거죠?"

"그럼, 어서 갖다 줘. 부탁이야, 어서!"

라스콜리니코프는 무척 궁금한 표정으로 재촉하였다.

"알았어요!"

나스타샤는 곧 편지를 가지고 왔다. 그 편지는 어머니가 보낸 것이었다. 그는 편지를 받아들자 갑자기 얼굴빛이 달라졌다.

그는 벌써 오래 전부터 편지라는 것을 받아 보지 못했다. 하지만 지금은 그 어떤 다른 것이 갑자기 그의 마음을 짓눌러 왔다.

"나스타샤, 어서 여기서 나가 줘. 제발 부탁이야! 이것은 네 돈 3코페이카야. 자, 어서 나가라니까!"

편지를 들고 있는 그의 손이 부들부들 떨렸다. 그는 하녀 앞에서 편지를 뜯기 싫었다. 나스타샤가 밖으로 나가자, 그는 재빨리 편지를 입으로 가져가 키스를 하였다.

'사랑하는 내 아들 로쟈(라스콜리니코프의 애칭)에게.'

어머니는 편지에 이렇게 썼다.

그리운 내 아들 로쟈!

너하고 편지로 소식을 주고받지 못한 지가 벌써 두 달이 되는구나. 미처 소식을 전하지 못한 이 어미를 용서해 주리라 믿는다.

너는 우리의 전부요, 우리 집안의 희망이다.

그런 네가 생활에 쪼들려 몇 달째 학교를 쉬고 있다는 소식에, 그리고 가정교사 자리도 구할 수 없어서 놀고 있다는 소식에 이 어미의 마음이 어떻겠느냐?

겨우 120루블의 연금으로 생활하고 있는 내가 어떻게 너를 도와줄 수 있었겠니? 4개월 전에 네게 보낸 15루블도 연금을 담보로 해서 어떤 상인에게 빚을 내 온 거란다. 이젠 빚도 다 갚고 네게 돈을 부칠 수 있게 되어 무엇보다도 기쁘다.

그런데, 로쟈!

그보다 네게 먼저 하고 싶은 이야기가 있다. 너도 대강 짐작하리라 생각된다만, 네가 누구보다도 사랑하고 있는 네 누이동생 두냐에 대한 이야기이다.

두 달 전, 너도 누구에겐가 이야기를 들은 모양이던데, 두냐가 가정교사로 들어가 있던 스미드리가일로프 씨 댁에서 갖은 모욕을 당했단다. 사실대로 이야기해 달라고 네가 편지로 물어 온 것을 이 어미는 기억하고 있단다.

만일 그 때, 사실대로 이야기해 주었더라면 너는 모든 것을 내동댕이치고, 걸어서라도 집으로 돌아왔을 것이 틀림없단다.

모든 일이 끝난 지금, 이런 불쾌한 이야기를 자세하게 늘어놓아 공연히 네 마음을 흔들어 놓고 싶지는 않다. 그래서 간단히 이야기하겠다.

한 집안의 가장인 스미드리가일로프 씨가 두냐에게 뻔뻔스러운 이야기를 했다고 하는구나. 모든 것을 버리고 같이 외국으로 도망가 버리자고 말이다.

넌 왜 그 때 바로 그 집을 뛰쳐나오지 않았느냐고 할지도 모른다. 그렇지만 두냐가 그렇게 하지 못한 데는 딱한 이유가 있었단다. 두냐가 가정교사로 그 집에 들어갔을 때, 100루블이나 되는 돈을 차츰 갚아 나가기로 하고, 급료에서 미리 썼단다. 지난 해에 네게 보낸 60루블은 그 돈 중에서 보낸 것이었단다. 그래서 두냐는 그 빚을 다 갚기 전에는 가정교사를 그만 둘 수도 없었던 거란다.

두냐는 6주일 동안을 그 무서운 집에서 뛰쳐나올 엄두도 내지 못하고 있었단다.

너는 두냐가 얼마나 꿋꿋하고 슬기로운지 잘 알고 있을 것이다. 두냐는 웬만한 일이면 모두 참아 낼 수 있는 아이란다.

그러고 있는 동안 예기치 않은 결말이 오고야 말았단다. 우연히 그의 부인이 정원에서 두냐를 설득하고 있는 남편의 말을 듣게 된 것이란다. 곧 정원에서는 무서운 소동이 일어나고 말았지. 부인은 두냐의 말은 들을 생각도 하지 않고, 그 아이를 때리기까지 했다고 하는구나.

두냐는 무섭게 쏟아지는 빗속에, 거의 내쫓기다시피 하여 집으로 돌아왔어. 그 소문은 곧 마을로 퍼져, 두냐와 나는 교회에도 갈 수 없었단다. 그 아이는 정말 천사란다. 그 모든 고통을 나보다 더 꿋꿋하게 견뎌 낸 그 아이를 네가 보았더라면!

로쟈, 하느님의 은총으로 우리의 고통은 금방 끝났단다. 스미드리가일로프 씨가 마음을 고쳐먹고, 두냐의 결백함을 밝혀 주었던 거란다. 그 사람의 강요하는 듯한 제안을 피하기 위하여 두냐가 마지못해 그 사람에게 써 보낸 편지가 증거물이 되었는데, 그건 정말 훌륭하게 쓴 편지였단다. 아이들의 착한 아버지로서 훌륭한 가정을 이루기 바란다는 것과, 진심으로 그의 잘못을 타이른 정중한 편지였단다.

그 때 마침, 두냐의 결백을 증명하는 하인까지 나타나서 고맙게도 집집마다 찾아다니며 두냐의 결백함을 밝혀 주었단다. 이제 두냐의 명예는 충분히 회복되어 몇 집에서 가정교사로 와 달라는 청까지 들어왔을 정도란다.

두냐에게 결혼 이야기가 들어온 것은 이 무렵이었다. 너와 의논도 없이 정해 버린 일이지만, 이 일에 대해 아마 너는 내게나 두냐에게 별 불만은 없으리라고 생각한다.

두냐에게 결혼 이야기를 꺼낸 사람은 피오트르 페트로비치 루진이라는 변호사란다. 그는 벌써 마흔 다섯 살이지만 근무처가 두 군데나 되고, 재산도 꽤 있는 사람이란다. 페테르스부르크에도 곧 법률 사무소를 낸다고 하더구나.

더구나 지참금 따위는 생각지도 않는다니, 우리 처지로는 얼마나 고마운 사람이냐!

그 이야기가 모든 사람들에게 전해지자 나에 대한 신용도 갑자기 높아져서, 연금을 담보로 하여 75루블이나 빌려 주겠다는 사람도 생겼구나. 그래서 네게도 25루블이나 30루블쯤 곧 부쳐 줄 수 있을 것 같구나.

이젠 편지지도 얼마 남지 않았는데, 이만 줄일까 한다.

자, 그럼 나의 소중한 로쟈야!

머지않은 날에 만날 것을 손꼽아 기다리며, 축복과 함께 너를 포옹한다.

로자야!

네 동생 두냐를 사랑해 주거라. 내가 그 아이를 사랑하듯 너도 그 아이를 사랑해 주어라. 그 아이는 너를 자기 자신보다 더 사랑하고 있다는 것을 잊어서는 안 된다.

로쟈, 너는 두냐와 나의 전부이며 우리의 희망이다. 너만 행복하다면 두냐와 나도 함께 행복해지는 것이란다.

로쟈야.

너 요즘 하느님께 기도 드리고 있니?

생각나지 않니? 네가 어렸을 때 내 무릎 위에 앉아 잘 굴러가지 않는 혀로 기도 드리던 일을. 그리고 그 때 우리가 얼마나 행복했던가를!

그럼, 로자야!

다시 만날 날까지 잘 있거라.

너를 안고 축복의 키스를 보낸다.

평생토록 변함 없는 너의 엄마, 풀리헤리야 라스콜리니코바

어머니의 편지는 그를 괴롭혔다.

그러나 가장 중요한 점에 대해서는, 벌써 편지를 읽기 시작했을 때부터 그의 마음은 결정되어 있었다.

'내가 살아 있는 한 이따위 결혼은 시킬 수 없어! 루진 씨고 뭐고. 그게 다 뭐야? 모두 뻔한 노릇 아닌가!'

그는 자기가 결심한 것을 자랑하고 싶은 기분이 되어 중얼거렸다.

"안 돼요, 어머니! 안 된다니까요. 두냐야! 이 오빠가 속을 줄 아니? 나는 너를 두 번 희생시키고 싶지는 않단 말이다. 어머니, 싫어요! 적어도 내가 살아 있는 한, 결코 그런 일은 시키지 않습니다. 절대로 안 돼요! 결코 그럴 수는 없어요!"

그는 갑자기 어머니의 편지를 벼락을 치듯 내리쳤다.

"지금은 문제 해결을 위해 앉아서 고민만 할 때가 아닙니다. 당장 무엇인가를 서둘러야 할 시간입니다. 어쨌든 모든 것을 결정해야 합니다. 그렇지 않으면……."

그는 갑자기 미친 듯이 부르짖었다.

"그렇지 않으면 모든 것을 거부하는 것이다!"

"있는 그대로의 운명을 받아들여 일하거나, 살아가거나, 사랑하는 일체의 권리를 포기하고 마음속의 모든 생각을 죽여 버리거나 해야 한다!"

갑자기 그는 몸을 부르르 떨었다. 어제 마르멜라도프와의 일이 생각났기 때문이었다. 아니, 그가 몸을 떤 것은 그 이유 때문만은 아니었다.

지금까지 그를 무섭게 괴롭혀 온 그 공상이 문득 머릿속에 떠올랐기 때문이었다.

한 달 전에는, 아니 어제까지만 해도 그것은 공상에 지나지 않았다. 그런데 지금은 그것이 무서운 현실이 되어 눈앞에 나타난 것이다.

순간 머리를 한 대 얻어맞은 듯, 그는 그만 눈앞이 캄캄해지고 말았다. 그는 두려운 생각이 들어 모자를 움켜쥐고 밖으로 뛰어나와서 바실리에프스키 섬을 향하여 비실비실 걸어갔다. 친구 라즈미힌을 찾아갈 생각이었다.

좋은 기회

'그런데, 난 지금 어디로 가고 있는 걸까?'
라스콜리니코프는 갑자기 생각을 돌렸다.
'난 분명 무슨 목적이 있어서 나왔을 텐데! 어머니의 편지를 읽자마자 곧장 나왔는데……. 참, 그렇지. 나는 바실리에프스키 섬에 있는 라즈미힌을 찾아갈 생각이었지! 참, 그랬었지. 이제야 생각이 떠오르는군. 그런데 잠깐! 그에게 왜 찾아가는 거였지? 왜 새삼스럽게 라즈미힌을 찾아가려고 했을까? 정말 이상한걸.'

그는 자기 자신이 자꾸만 이상한 생각이 들어 견딜 수가 없었다. 라즈미힌은 대학 친구 중 한 사람이었다. 묘하게도 그는 대학에서도 거의 친구를 사귀지 못하였다. 그는 일반적인 회합에도, 담화에도, 오락에도 일체 끼어들 생각을 하지 않고 다만 공부에만 열중하였다. 그랬기 때문에 학생들은 그를 존경하였지만, 사랑하는 사람은 하나도 없었다. 그는 몹시 가난하였지만, 그 주제에 오만한 태도를 가지고 남들과 어울리려고 하지 않았다. 그런데 어찌된 일인지 라즈미힌하고는 배짱이 맞았다. 아니, 배짱이 맞기보다는 다른 누구보다도 허물이 없었으며 마음이 통하였다.

그런데, 그 라즈미힌 역시 지금 대학을 중단해야만 할 처지에 놓여 있었다. 그렇지만 오랜 기간은 아니고, 그는 지금 온 힘을 다하여 학업을 계속 할 수 있도록 생활 개선을 서두르고 있었다.

라스콜리니코프는 지금 자기가 무엇 때문에 라즈미힌을 찾아가려고 하였는지 마음이 뒤엉켜 있었다. 주위를 살펴보니 길가에서 조금 떨어진 곳에 벤치 하나가 놓여 있었다. 그는 그 벤치 위에 걸터앉았다.

'그래, 그 녀석이라고 해서 지금 처지에서 나를 어떻게 도울 수 있다는 말인가?'

그는 생각에 지쳐서 이마를 문질렀다. 그러자 희한하게도 그의 머릿속에는 자신도 의식하지 못할 정도로 기이한 어떤 생각이 떠올랐다.

'가만 있자! 라즈미힌을 찾아가는 것은 그 일이 끝난 다음 날 가기로 하자. 그 일을 끝내고 나면 만사가 새로 움직여질 테니 말이다.'

순간 그는 제정신으로 되돌아왔다.

"그 일을 끝내면……."

그는 벤치를 떠나 걷기 시작하였다. 아니, 걷는다기보다는 오히려 달리기 시작하였다. 그는 오던 길로 뒤돌아서서 하숙집으로 가려고 하였다.

그러나 하숙집으로 되돌아간다는 것이 어쩐지 지겨운 느낌이 들었다.

그 음침한 방 안에는 이미 한 달 전부터 쉴새없이, 그 무서운 공상이 무르익어 가고 있었던 것이다. 그래서 그는 발길 닿는 대로 걸어갔다.

그의 신경질적인 두려움은 이제는 병적인 것으로 변하였다. 무척 더운 날씨인데도 그는 으슬으슬한 추위를 느꼈다.

그는 거의 무의식중에 어느 음식점 앞을 지나갔다. 순간 무엇인가 먹고 싶다는 생각이 들었다. 그는 가진 돈을 세어 보았다. 30코페이카 정도의 돈이 있었다. 음식점으로 들어가자 이내 그는, 보드카 한 잔을 들이키고 만두 한 개를 먹었다. 속이 빈 탓인지 겨우 한 잔의 술에 취하여 갑자기 다리가 무겁고 몹시 졸렸다.

그는 하숙집 쪽으로 발길을 돌렸다. 그러나 더 이상 견딜 수가 없었다. 길에서 풀숲으로 내려선 그는 그대로 쓰러져서 깊은 잠에 빠져들었다. 라스콜리니코프는 무서운 꿈을 꾸었다. 그가 아직 시골에서 살던 어린 시절의 꿈이었다. 그는 그 때 일곱 살쯤 되었는데, 축제날 저녁무렵 아버지를 따라 교외를 산책하고 있었다.

마을 맨 끝 야채 밭에 못 미친 길가에 불쾌하기 짝이없는 인상과 공포감을 주는 커다란 술집이 있었다. 라스콜리니코프는 아버지의 손을 꼭 잡고 겁에 질린 듯이 그 술집 쪽을 바라보았다. 그러자 묘한 광경이 그의 주의를 끌었다.

그 술집 앞에 술통을 나르는 커다란 짐마차 한 대가 서 있었다. 그런데 이상하게도 짐마차에 조그맣고 아주 깡마른 농사꾼의 말이 매어져 있었다.

바로 그 때, 갑자기 주위가 떠들썩해졌다. 그러더니 많은 사람들이 술집 안에서 고함치고 노래하며 발랄라이카라는 기타 비슷한 현악기를 타면서 몰려 나왔다. 모두 정신 없이 취한 사람들이었다.

"자, 타라! 다들 올라타라."

목덜미가 굵직하고, 당근처럼 빨간 얼굴을 한 젊은 사나이가 소리쳤다.

"어서들 타라니까! 자, 어서!"

그러자 웃음소리와 뭐라고 외치는 소리가 뒤범벅이 되어 들려왔다.

"저따위 말라빠진 말이 어떻게 짐마차를 끌지?"

깡마른 말은 채찍으로 얻어맞고는 필사적으로 달리기 시작하였다. 그렇지만 달리기는커녕 겨우 걸을 정도로 발만 타박거릴 따름이었다. 콩 튀듯 내리치는 채찍에 얻어맞아 신음하며 금방 쓰러질 것 같았다.

"아버지! 아버지!"

라스콜리니코프는 아버지에게 소리를 질렀다.

"아버지, 저 사람들이 왜 저러지요? 가엾은 말을……."

"어서 집으로 가자."

아버지가 말하였다.

"술 취한 사람들이 장난을 치고 있다. 자, 저리로 가자! 저건 보지 말아라!"

아버지는 그를 데리고 그 자리를 벗어나려고 하였다. 그렇지만 그는 아버지의 손에서 빠져 나와 저도 모르게 말을 향하여 달려가고 있었다.

"죽을 때까지 내리쳐라!"

미코르카라고 불리는 사나이가 소리쳤다.

"에이, 빌어먹을! 저리 비켜!"

미코르카는 미친 듯이 외치며 채찍을 집어던지고, 마차 안에서 쇠 지렛대를 뽑아들었다.

"위험해!"

사람들이 외치는 소리와 함께 미코르카의 쇠 지렛대가 말을 향하여 내리쳐졌다. 깡마른 말은 네 다리가 한꺼번에 동강난 듯 단번에 '털썩' 하고 땅 위로 주저앉았다.

미코르카는 비스듬히 서서 연이어 말 등을 내리쳤다. 깡마른 말은 목을 길게 빼고 괴로운 듯 숨을 몰아쉬며 죽고 말았다.

"끝내 요절을 내고 말았군!"

"내 말인데 어때?"

미코르카는 손에 쇠 지렛대를 거머쥔 채, 핏발이 선 눈을 희번덕이며 소리쳤다.

"아버지! 저 사람들은 왜……."

울음 섞인 목소리로 소리를 치려는 순간, 라스콜리니코프는 숨이 막혀 눈을 번쩍 떴다.

그는 온몸이 땀에 흠뻑 젖어 있었다.

"휴, 꿈이니까 다행이지!"

그는 나무 밑에 앉아서 깊은 한숨을 내쉬면서 말하였다.

"하지만 도대체 이게 무슨 꿈이란 말인가! 열병에 걸린 것이 아닐까? 도대체 왜 이런 흉측한 꿈을 꾼 걸까?"

라스콜리니코프는 마치 온몸을 실컷 두들겨 맞은 것 같이 나른하였다. 마음은 뒤숭숭하였고 앞이 캄캄하였다. 그는 무릎 위에 팔꿈치를 괴고 두 손으로 머리를 받쳤다.

"아아!"

그는 외쳤다.

"난, 난 정말로 도끼를 휘둘러 그 노파의 머리를 내리칠 작정이란 말인가? 끈적끈적한 더운 피 속에서 미끄러지며, 또 자물쇠를 부수고, 도둑질을 하며, 떨 작정이란 말인가. 온몸이 피투성이가 되어, 도끼를 들고……. 아아! 정말로 그런 짓을!"

그는 이렇게 중얼거리면서 마치 낙엽처럼 와들와들 떨었다. 그는 벌떡 일어서며 놀란 듯이 사방을 두리번거렸다. 이윽고 그는 T 다리 쪽으로 발걸음을 옮겼다.

"하느님!"

그는 기도를 하였다.

"하느님, 저에게 살아갈 길을 인도해 주소서! 그러면 저는 이 저주스러운 망상을 떨쳐 버리겠습니다."

그는 다리를 건너가면서 차분한 기분으로, 눈부신 진홍빛 태양이 찬란하게 가라앉으려는 네바 강을 바라보았다.

'자유, 자유!'

그는 드디어 그런 요술에서, 마법에서, 유혹에서, 망설임에서 벗어나 자유의 몸이 되었다. 그가 채소 시장을 지나온 것은 9시경의 일이었다.

탁자며, 쟁반이며, 목판을 벌여 놓고 있던 노점상들이 제각기 가게문을 닫거나, 물건을 끌어모아 정리를 하고서 자기 집으로 돌아가고 있었다. 지저분하고 악취가 풍겨 나오는 이 부근 골목에는 가지각색 직공들과 누더기를 걸친 사람들이 모여 있었다.

라스콜리니코프는 정처없이 거리로 나올 때면, 이 근처를 서성거리는 것을 좋아했다. 여기서는 그의 누더기옷도 남의 눈에 띌까 봐 신경을 쓸 필요가 없었기 때문이었다.

시장 골목 막다른 구석에 부부가 경영하는 조그만 노점 잡화상이 있었다. 두 대의 손수레에 실과 끈, 수건 등을 팔고 있었는데, 그들 역시 돌아갈 채비를 하고 있었다. 부부는 마침 거기에 들른 어떤 여자와 이야기에 정신이 팔려 있었다. 그 여자는 바로 전당포 노파의 여동생인 리자베타 이바노브나였다. 그는 오래 전부터 이 리자베타에 관해서는 자세히 알고 있었고, 또 그 여자도 그를 어느 정도는 알고 있었다.

그녀는 키가 멋없이 크고, 겁이 많고, 순진하기 짝이없는 서른다섯 살의 노처녀였다. 언니 집에서 거의 노예 취급을 받다시피 하며 밤늦게까지 죽도록 일을 하면서도, 언니 앞에서는 꼼짝도 못 하고 매까지 맞고 지내는 바보에 가까운 여자였다. 그녀는 보따리 하나를 들고 장사꾼의 이야기를 열심히 귀기울이며 듣고 있었다. 장사꾼 부부는 무언가 그녀를 설득하고 있는 듯하였다.

"이봐요, 리자베타 이바노브나! 자기 스스로를 잘 생각하지 않으면 안 된다고!"

장사꾼은 앞에서 누가 듣건 말건 큰 소리로 이야기를 하였다.

"내일 오후 7시경에 나오라고요. 그 사람들도 그 때쯤은 이리로 올 테니까요."

"내일?"

리자베타는 아직 마음의 결정을 하지 못했는지, 말꼬리를 끌며 말하였다.

"당신은 정말 어린아이 같소. 우물쭈물하지 말고 확실하게 결정을 해요. 그리고 이번 일은 언니한테 비밀로 하는 게 좋겠어요."

성격이 괄괄한 장사꾼의 아내가 말하였다.

"그럼, 가기로 할까요?"

"7시야, 저녁 7시라고. 그쪽에서도 올 테니 잘 생각해 보구려!"

"사모바르(달여 마시는 차의 일종)라도 준비해 둘 게요."

장사꾼의 아내가 말을 덧붙였다.

"좋아요. 그럼, 가도록 하죠!"

리자베타는 결심이 섰다는 듯 이렇게 대답하고는 천천히 그 자리를 떠났다.

라스콜리니코프는 그들의 이야기를 한 마디도 빼놓지 않고 들으려고 애쓰면서, 눈치채지 않도록 조용히 그 앞을 지나쳤다. 그가 처음에 느꼈던 놀라움은 차차 공포심으로 바뀌었다. 마치 얼음덩이 같은 것이 등골을 스쳐 가는 것 같았다.

그는 알아 낸 것이다. 참으로 우연히, 정말 뜻밖에 하나의 사실을 알아 낸 것이었다. 즉, 내일 밤 7시 전에는 그 노파와 단 하나의 동거인인 여동생 리자베타가 외출을 하는 것이다. 그러니까 전당포 노파는 저녁 7시 정각에는 집에 혼자 있게 되는 것이다.

그의 하숙집은 거기서 겨우 몇 걸음 정도밖에 안 되었다. 그는 사형 선고라도 받은 사람처럼 절망적인 기분이 되어 하숙집의 자기 방으로 들어갔다. 라스콜리니코프는 아무것도 생각하지 않았다. 또 생각할 기력조차 없었다. 하지만 자기 뜻과는 상관없이 모든 것이 갑자기 절망적인 방향으로 결정되고 말았다는 것을 온몸으로 느꼈던 것이다.

그는 이제 오랫동안 공상해 온 것을 실현시킬 가장 좋은 기회를 얻은 것이다.

전당포 노파

라스콜리니코프는 긴 의자 위에 몸을 던지고 꼬박 한 시간 동안이나 꼼짝 않고 앉아 있었다. 그에게는 초도 없었지만, 불을 켤 생각도 없었다. 마침내 그는 아까처럼 열과 오한이 났다. 지금 그는 긴 의자 위에 누울 수 있다는 것을 더없이 기쁘게 생각하였다. 잠시 후 그는 내리누르듯 쏟아지는 잠을 이기지 못하고 눈을 감았다.

그는 전에 없이 오랜 시간을 꿈도 꾸지 않고 푹 잤다. 다음 날 아침 10시에 그의 방으로 들어온 나스타샤는 그를 흔들어 깨웠다.

그녀는 라스콜리니코프를 위하여 빵과 차를 가져왔다. 차는 여러 번 우려낸 것인데, 그녀의 컵에 담아 가지고 왔다. 몇 분 후, 라스콜리니코프는 눈을 들어 빵과 차를 물끄러미 바라보다가 식사를 하기 시작하였다. 그러나 그는 별로 먹고 싶지 않아서, 차만 몇 모금 기계적으로 마셨다. 두통은 조금 가라앉았다.

엎드려서 베개에 얼굴을 묻은 채 꼼짝도 하지 않았다. 그의 눈앞에는 쉴새없이 헛것이 보였다. 모두가 정말 기괴한 것뿐이었다. 그는 몸을 부르르 떨고는 애써 정신을 차렸다. 머리를 들어 창 밖을 바라보면서 지금 몇 시나 되었을까 생각해 보았다.

그러자 갑자기 정신이 맑아져서 그는 벌떡 일어났다. 마치 그 누군가가 그를 긴 의자 위에서 밀어 내기라도 한 것처럼. 그는 발끝으로 살금살금 문 쪽을 향하여 걸어가서 살며시 문을 열고 계단 쪽으로 귀를 기울였다. 그의 심장은 마구 두근거렸다. 그러나 계단은 죽은 듯이 조용했다. 그는 자신이 내내 잠만 자고, 여태껏 아무런 준비도 하지 않았다는 것을 깨달았다. 그러나 준비라고 해야 뭐 특별한 것은 없었다. 그는 모든 일에 실수가 없도록 조그만 일까지도 세심한 주의를 기울여 생각해 두었다. 그러나 심장은 몹시 두근거려 숨이 막힐 정도였다.

우선 고리를 만들어 그걸 외투 속에 꿰매어 달았다. 그는 또 베개 밑으로 손을 넣어 거기 쑤셔 넣어 둔, 빨래를 하지 않아 넝마나 다름없는 낡은 셔츠 하나를 끄집어 내었다. 그러고는 폭 4, 5센티미터, 길이 30센티미터쯤 되는 헝겊을 찢어내어 두 겹으로 포개었다.

다음에는 자신이 입고 있던 폭이 넓은 든든하고 두꺼운 여름 외투를 벗어, 그 안쪽 겨드랑이 밑에다 헝겊 양끝을 꿰매어 붙이기 시작하였다. 꿰매는 그의 손이 부들부들 떨렸다. 그렇지만 마음을 진정시키고 다시 외투를 입었을 때에는, 겉으로 아무런 표시도 나지 않았다.

그 일을 마치자마자 그는 긴 의자와 마루청 사이에 나 있는 조그만 틈바구니에 손가락을 집어넣어 전당품을 꺼냈다.

그러나 이 물건은 전당 잡힐 진짜 물건이 아니고, 그저 은담뱃갑이라고 느낄 정도의 크고 두껍게 깎은 나무조각에 지나지 않았다. 그는 전부터 이것을 미리 준비해 두었었다.

라스콜리니코프는 그 나무조각에다 매끈매끈하고 얄팍한 쇳조각을 덧붙였다. 쇳조각이 나무조각보다는 약간 작았지만, 그는 두 개를 합쳐서 실로 든든하게 열십 자로 묶었다. 그리고 그것을 깨끗한 종이에다 정성껏 싸서, 풀어보는 데 조금이라도 시간이 더 걸리게 하려고 꽁꽁 묶었다. 이렇게 모든 준비를 끝냈을 때쯤, 갑자기 어느 집 마당에서 누군가 외치는 소리가 들렸다.

"여섯 시가 지났는걸!"

'벌써 여섯 시가 지났다고? 이거 큰일났군!'

그는 문 쪽으로 가서 귀를 기울여 기척을 살폈다. 그는 모자를 움켜쥐고, 고양이처럼 발소리를 죽여가며 열세 개의 계단을 내려가기 시작하였다. 아직도 한 가지, 가장 중요한 일이 남아 있었다. 그것은 부엌으로 가서 도끼를 손에 넣는 일이었다.

'일이 끝나면 제자리에 갖다 놓으면 되지 뭐!'

그는 그 중요한 일에 대해서는 조금 태평스럽게 생각하고 있었다. 왜냐하면 언제나 집에 있는 나스타샤도 이 시간이 되면, 시장에 가거나 이웃집에 놀러 가기 때문에 문은 늘 열려 있었기 때문이었다.

'하지만 나스타샤가 외출하고 없더라도 주인 아주머니가 부엌에 있을 수도 있지. 아니, 지금은 없더라도 혹시 내가 도끼를 들 때 들어오지 않을까?'

그런데 라스콜리니코프는 계단을 다 내려가기도 전에 당황하고 말았다. 놀랍게도 나스타샤는 부엌에서 아직도 꾸물거리며 일을 하고 있었다. 그녀는 바구니에서 빨래를 꺼내다 널고 있었다. 그는 외면한 채 관심이 없다는 듯이 지나쳤다.

'아아, 만사는 다 틀렸다. 도끼를 구할 수 없지 않은가!'

라스콜리니코프는 한 대 얻어맞은 느낌이었다.

'어째서 나는 반드시 그럴 것이라고 생각했을까? 왜 그녀가 지금쯤은 집에 없을 것이라고 단정했을까?'

그는 발에 짓밟혀서 크게 모욕을 당한 느낌이었다. 그는 홧김에 자신을 비웃고 싶었다. 마치 굶주린 야수와도 같은 분노가 가슴속에서 들끓었다. 그는 곰곰이 생각하면서 문 아래 멈춰 섰다. 잠깐 산책을 나가는 체하고 거리로 나가기도 싫었다. 그렇지만 방으로 돌아가기는 더욱더 싫었다.

'아아, 모처럼의 기회를 아주 놓쳐 버리고 말았구나!'

그런데 그 순간 그는 눈을 번쩍 떴다.

문지기 방 의자 밑에서 뭔가 반짝 하고 빛이 났다. 그건 분명 도끼였다. 그는 주위를 둘러보았지만 아무도 없었다. 그는 발끝으로 살금살금 다가가, 나직한 목소리로 문지기를 불렀다.

'역시, 아무도 없구나!'

그는 도끼를 얼른 집어들었다. 그러고는 재빨리 외투 안자락 고리에 걸쳐 놓고 두 손을 주머니에 찌른 채 문지기 방을 나왔다. 아무도 본 사람은 없었다. 라스콜리니코프는 기묘한 미소를 지었다. 이 일이 그에게

용기를 불어넣어 주었다.

그는 조용하고 태연하게 목적지를 향하여 천천히 걸어갔다. 그러나 되도록 지나가는 사람들을 보지 않고, 또 남의 눈에 띄지 않으려고 노력하였다. 그러나 별로 망설이거나 두려움을 느끼지는 않았다. 오히려 평소보다 마음은 차분해져 있었다.

'벌써 그 집이다. 저기 문이 보인다!'

다행히 문을 무사히 통과하였다. 뿐만 아니라, 이 때 마침 건초를 잔뜩 실은 마차가 문 옆을 지나는 그를 가려 주었다. 노파의 집으로 가는 계단은 문에서 바로 오른쪽에 있었다. 그는 재빨리 계단으로 다가갔다. 두근거리는 가슴을 한 손으로 누르고, 다시 한 번 도끼를 쓰다듬어 위치를 확인하였다. 그는 조심스레 귀 기울이며 조용히 계단을 올라갔다. 계단은 조용하였고, 거기까지 가는 동안 한 사람도 만나지 않았다.

문들은 모두 닫혀 있었다. 단지 2층에 있는 빈 방 하나의 문이 활짝 열려 있고, 그 안에서 페인트 칠을 하고 있었다.

그러나 그들은 그를 보지 못하였다. 라스콜리니코프는 걸음을 멈추고 잠시 생각을 한 다음 걸음을 옮겼다. 그는 어느 새 4층에 도착하였다. 문이 보였다. 노파의 방 맞은편 방이었다. 그 방도 비어 있었다. 3층, 노파의 방 바로 아랫방도 비어 있는 것 같았다. 그는 가슴이 답답해졌다.

'차라리 돌아가 버릴까?'

이런 생각이 순간적으로 그의 머릿속을 스쳐갔다. 그는 망설이며 노파의 집에 귀를 기울였다. 죽은 듯이 조용하였다. 이번에는 계단 아래쪽의 동정을 주의 깊게 살핀 다음, 옷 위로 다시 한 번 도끼를 쓰다듬어 보았다.

'어쩌면 내 얼굴이 몹시 창백한지 몰라! 지나치게 흥분해 있는 것은

아닐까? 노파는 의심이 많으니까, 좀더 기다리는 게 나을까? 어쨌든 흥분이 가라앉을 때까지라도…….'

그렇지만 두근거리는 가슴은 좀처럼 가라앉지 않았다. 그는 참을 길이 없어서, 천천히 초인종 쪽으로 손을 뻗어 눌렀다. 대답이 없자, 그는 이제 초인종을 아주 세게 연거푸 눌렀다.

'그 의심 많은 노파가 선뜻 문을 열 리 없지. 그녀는 틀림없이 방 안에 있어. 그렇다! 혼자 있으니까 더욱 경계하는 거야.'

라스콜리니코프는 문에 귀를 대고 기척을 살폈다.

'음, 안에서도 마찬가지로 숨을 죽이고 이쪽의 동정을 살피고 있었구나!'

그는 일부러 몸을 움직여 소리를 내고, 숨어 있었다는 느낌을 주지 않으려고 소리내어 중얼거렸다.

그런 다음 그는 다시 초인종을 눌렀다. 그러자 지난번처럼 문이 빠끔 열리고, 역시 날카롭고 의심쩍은 두 눈이 어둠 속에서 그를 빤히 쏘아보았다. 그는 노파가 문을 닫아 버리지 못하게 홱 잡아당겼다. 그 바람에 노파는 손잡이를 꼭 잡은 채로 계단 앞까지 끌려나오다시피 하였다. 그래도 노파는 문을 가로막고 서서 그를 안으로 들여놓으려 하지 않았다.

라스콜리니코프는 노파 앞으로 곧장 다가갔다. 그러자 그녀는 놀라 뒷걸음질치면서 무슨 말인가 하려고 하였다. 그런데 제대로 말을 할 수가 없었던지 눈을 크게 뜬 채 쳐다보았다.

"안녕하세요, 할머니!"

그는 되도록 태연하게 말하려 하였다. 그러나 목소리가 제대로 나오지 않고 떨려서 자꾸 더듬거렸다.

"물건을 저당 잡히러 왔습니다. 저쪽으로 갈까요? 저 밝은 곳으로!"

그는 뚜벅뚜벅 안으로 들어갔다. 노파는 그를 따라오면서 의심에 가득 찬 눈초리로 쳐다보았다.

"왜 그렇게 쳐다보십니까? 아주 낯선 사람을 대하듯 말입니다."

그는 일부러 불쾌하다는 듯이 말하였다.

"자, 물건을 가져왔습니다. 마음에 들면 잡아 주시고, 싫다면 저는 딴 곳으로 가 보겠습니다."

노파는 그 때서야 정신이 들어 혀가 돌아갔다.

"글쎄, 너무 갑자기 찾아와서, 그런데 이건 도대체 뭐요?"

"은제 담뱃갑이지요. 왜 저번에 이야기했잖아요."

노파는 손을 내밀었다.

"그건 그렇고, 학생 얼굴이 왜 그렇게 창백한가? 손도 몹시 떨고 있고! 뭔가에 몹시 놀란 것 같소."

"몸에 열이 있어서 그래요. 더구나 아무것도 먹지 못한걸요!"

라스콜리니코프는 더듬더듬 겨우 목소리를 짜내어 말하였다. 그러자 전신의 힘이 모두 빠져 나가는 것 같았다. 그러면서도 그는 거짓말을 하고 있다는 느낌을 전혀 주지 않았다.

"이게 뭐라고? 그런데 은 같지는 않은데……. 어유, 지독하게도 꽁꽁 묶었구려!"

노파는 묶은 끈을 풀려고 창문 쪽으로 돌아섰다. 무더운 날씨인데도 노파의 집 창문은 꼭 닫혀 있었다. 노파는 완전히 등을 돌리고 매듭을 푸느라 애를 쓰고 있었다. 라스콜리니코프는 바로 이 기회를 노렸던 것이다. 그는 외투 단추를 풀고 고리에서 도끼를 꺼내 들었다. 그런데 그 순간 또다시 전신에 힘이 빠져 나가고, 머리가 아찔해지는 것을 느꼈다.

"아이고, 어째서 이렇게 지독하게 묶었담!"

노파는 신경질적인 말투로 그가 있는 쪽으로 몸을 돌렸다. 이제는 한

치의 여유가 없었다. 라스콜리니코프는 도끼를 두 손으로 치켜들고 뚜렷한 의식도 없이 아무 힘도 들이지 않고, 거의 기계적으로 노파의 머리를 향하여 내리쳤다. 그러자 갑자기 그의 몸에 힘이 솟구쳤다.

노파는 '악!' 하고 소리쳤으나 그것은 몹시 가느다란 소리였다. 그리고 그녀는 두 손을 머리 위로 가져갔지만, 그대로 비실비실 마룻바닥에 주저앉고 말았다. 한 손에는 아직도 전당품을 꼭 쥔 채였다. 그는 도끼를 시체 옆에 내려놓고 피가 묻지 않도록 조심하면서, 노파의 주머니에 손을 넣어 열쇠를 찾았다. 지난번에 그녀가 열쇠를 꺼내던 오른쪽 주머니였다. 열쇠는 금방 꺼낼 수가 있었다. 열쇠는 그 때처럼 쇠고리에 한 묶음으로 꿰어져 있었다. 그는 열쇠 꾸러미를 들고 곧 침실로 달려갔다.

불쌍한 리자베타

그 침실은 아주 조그만 방으로 성상을 모셔 놓은 십자가가 있었다. 한쪽 벽에는 비단 천조각을 이어 만든 솜이불이 덮여 있는 침대가 있었다. 또다른 한쪽에는 옷장이 있었다.

라스콜리니코프는 열쇠를 옷장 열쇠 구멍에 찔러 넣고 자물쇠를 열려고 하였다. 그런데 이상하게도 그 열쇠의 달그락거리는 소리를 듣는 순간 경련이 이는 느낌이었다. 그는 모든 것을 내동댕이치고 달아나고 싶었다. 하지만 그러기에는 이미 늦어 있었다.

그 때 또다른 불안감이 머릿속에서 번득였다. 어쩌면 노파가 아직도 살아 있어서 정신을 차릴지도 모른다는 생각이 갑자기 들었던 것이다. 그는 열쇠를 옷장에 그대로 꽂아 둔 채 다시 노파의 시체 옆으로 갔다. 그는 곧 도끼를 집어들고 다시 한 번 노파를 향해 겨누었다. 하지만 내리치지는 않았다. 그녀가 죽은 것이 분명하였기 때문이었다.

피는 어느 틈에 커다란 덩어리로 엉겨 있었다. 그는 문득 노파의 목에서 끈을 발견하고는 잡아당겨 보았다. 그런데 끈이 얼마나 질긴지 좀처럼 끊어지지 않았다. 더구나 피가 묻어서 끈적끈적하였다. 가만히 살펴보니 그 끈은 주머니로 이어져 있었다.

'음, 저건 지갑이 분명하다.'

그는 손에 피를 묻히며 간신히 끈을 잘라냈다. 그의 생각은 들어맞았다. 주머니에서 나온 것은 지갑이었다.

끈에는 나무와 동으로 만든 두 개의 십자가와, 그 밖에도 에나멜로 만든 성상이 달려 있었다. 그리고 그것들과 함께 구리 고리가 달린, 손때로 길이 들어 반들거리는 가죽 지갑이 달려 있었다. 지갑은 터질 듯이 불룩하였다.

라스콜리니코프는 제대로 살펴보지도 않고 지갑을 주머니에 쑤셔 넣었다. 그러고는 십자가를 노파의 가슴에 던지고, 이번에는 도끼를 손에 쥔 채 침실로 되돌아갔다. 그는 몹시 다급해져서 열쇠 꾸러미를 집어들고 이것 저것 만지작거렸다.

그러나 모든 것이 신통치 않았다. 열쇠가 구멍에 맞지 않는 것이었다. 그러다가 그는 문득 깨달았다.

다른 작은 열쇠에 섞여서 흔들거리는 끄트머리가 톱니 모양으로 되어 있는 그 커다란 열쇠는, 분명 옷장 열쇠가 아니었다.

'이건 트렁크 열쇠가 분명하다! 그렇다면 그 트렁크 속에 모든 것이 들어 있는 것이 분명하다!'

그는 옷장 앞을 떠나 곧 침대 밑으로 기어들어갔다. 나이 많은 사람들은 대개 트렁크를 침대 밑에 둔다는 것을 알고 있었기 때문이었다. 아니나다를까, 거기에는 큼직한 트렁크가 있었다. 붉은 양가죽을 씌우고, 운두가 높은 뚜껑이 달려 있고 강철못이 여러 개 박혀 있었다. 톱니

처럼 생긴 열쇠는 거기에 꼭 맞아서 뚜껑이 활짝 열렸다.

맨 위에는 흰 홑이불 밑에 빨간 장식을 한 토끼 가죽 외투가 있었다. 그 외투 밑에는 비단옷, 그 밑에는 솔, 그리고 밑창에는 그냥 누더기들이 들어 있는 것 같았다.

라스콜리니코프는 누더기 조각을 살짝 들추어 보았다. 그러자 순간, 가죽 외투 밑에서 금시계가 미끄러져 나왔다. 그는 대뜸 속을 들추기 시작하였다.

과연 누더기 사이에는 갖가지 금붙이가 들어 있었다. 모두 전당받은 물건 같았다. 그것들은 팔찌, 목걸이, 귀걸이, 핀 등 아주 다양하였다. 그는 조금도 주저하지 않고, 그 물건들을 바지와 외투의 양쪽 주머니 속에 가득 채워 넣기 시작하였다.

그런데 갑자기 노파가 쓰러져 있는 방에서 사람의 발자국 소리가 들렸다. 그는 손을 멈추고 죽은 듯이 숨을 죽였다. 그러나 주위는 고요했다.

'내가 헛소리를 들었나?'

그러나 잘못 들은 것은 아니었다. 이번에는 나직한 신음 소리가 나고 이내 잠잠해졌다. 그는 벌떡 일어나 도끼를 집어들고 후닥닥 뛰쳐나갔다.

방 한가운데에 리자베타가 두 손에 큼직한 보따리를 안은 채, 장승처럼 서서 죽은 언니를 내려다보고 있었다. 백지장처럼 질려 있던 그녀는 달려나오는 라스콜리니코프를 보자, 바들바들 떨기 시작하였다. 가느다란 경련이 그녀의 얼굴을 스쳐갔다. 그녀는 한쪽 손을 조금 들어 그를 밀어내려는 듯이 맥없이 손을 뻗었을 뿐이었다.

그러나 도끼날이 이내, 그녀의 머리를 겨누어 이마 위 거의 관자놀이까지 내리쳐졌다. 그녀는 보따리를 안은 채 그대로 쓰러져 버렸다. 라스

콜리니코프는 매우 당황하여 다짜고짜 입구를 향해 달려갔다. 그의 공포심은 시시각각 더해 갔다.

더구나 생각지도 못했던 두 번째 살인 후에, 그의 공포심은 한층 강하게 그를 사로잡았다. 그는 한시바삐 여기서 도망치고 싶었다.

지금은 무슨 일이 있더라도 트렁크 옆에는커녕, 그 방에 되돌아갈 용기조차 나지 않았다. 문득 부엌 쪽으로 눈을 돌린 그는 무슨 생각이 들었는지 얼른 자기 손을 내려다보았다. 손은 피투성이가 되어 끈적끈적하였다. 부엌 안에는 물이 반쯤 찬 물통이 의자 위에 놓여 있었다.

라스콜리니코프는 손과 도끼에 묻은 피를 씻기 위해 부엌으로 들어갔다. 도끼를 거꾸로 하여 물통 속에 집어넣은 다음, 창틀 위에 놓여 있는 비눗갑에서 비누 조각을 꺼냈다. 그는 두 손을 씻고 도끼자루까지 비누로 깨끗이 닦았다.

피 흔적은 이제 아무 데도 남아 있지 않았다. 그는 헝겊으로 물기를 닦아낸 다음, 도끼를 한번 살펴보고는 외투 안쪽에 만든 고리에 끼워 넣었다.

그러고 나서 외투와 바지, 다시 구두에 이르기까지 샅샅이 살폈다. 구두에만 피가 조금 묻어 있었다. 그는 헝겊에 물을 적셔 말끔히 구두를 닦아 냈다.

'이젠 다 되었나? 아니, 아직 나 자신은 알 수 없지만 남의 눈에 띄는 게 남아 있을지도 모르지. 어쩌면 지금 이렇게 하고 있는 것 자체가 전혀 필요 없는 노릇인지도 몰라!'

라스콜리니코프는 갑자기 몸을 떨었다.

'그렇다! 이러고 있을 게 아니라 어서 도망가야 한다!'

그는 방 안을 가로질러 문 있는 데로 달려갔다. 문 앞에 이른 그는 자기도 모르게 그 자리에 우뚝 멈춰 서 버렸다. 아무래도 그는 자신의 눈을 믿을 수가 없었다.

아까 그가 초인종을 울리고 노파가 문을 열었을 때처럼, 지금도 그 문이 빠끔히 열려 있었던 것이다. 잠그지도 않고 빗장도 지르지 않은 채 그 동안 문은 그렇게 줄곧 열려 있었던 것이다.

'아아, 이럴 수가 있나? 그 뒤에 리자베타가 들어왔는데도 어디로 들어왔는지를 생각조차 안 해 보다니! 설마 벽을 뚫고 들어왔을 리는 없는데도 말이야.'

그는 문 쪽으로 가서 빗장을 질렀다.

'아니지, 난 또 엉뚱한 짓을 하고 있구나! 빗장을 지르다니, 나를 가둘 셈인가? 도망쳐야 해, 어서 빨리!'

라스콜리니코프는 빗장을 다시 빼고 문을 연 다음 계단을 살폈다. 그는 아주 오랫동안 귀를 기울여 동정을 살폈다. 멀리 아래쪽 출입문께로 짐작되는 곳에서 누군가가 다투고 있는지, 날카로운 목소리가 들렸기 때문이었다. 그는 끈기 있게 기다렸다. 드디어 다투는 소리가 그치고 일시에 모든 것이 조용해졌다.

라스콜리니코프는 안도의 숨을 내쉬며 복도로 한 걸음 내디뎠다. 그때, 이번에는 바로 아래층에서 문이 열리는 요란한 소리와 함께 콧노래 소리가 들려왔다. 그러나 누군가가 흥얼거리는 콧노래는 차츰 아래쪽으로 멀어져 마침내 들리지 않게 되었다.

'아니, 왜 이렇게 계속 시끄러울까? 난 내 불운 속에 갇혀 꼼짝도 못하는 게 아닌가!'

라스콜리니코프는 불길한 생각을 떨쳐내며 다시 계단으로 나섰다.

그 순간, 또다시 누군가의 새로운 발소리가 들렸다. 그 발소리는 꽤 멀어서 맨 아래층 계단을 올라오는 소리가 아닌가 싶었다. 그런데 그는 이상하게도 그 발소리를 듣자마자 곧,

'이 방으로 오고 있는 게 틀림없어!'

하고 단정하였다. 그 발소리는 무겁고 규칙적이었으며 또한 매우 느렸다. 발소리는 점점 뚜렷해졌다.

계단을 오르는 사람의 가쁜 숨소리까지 들려왔다. 이미 발소리의 주인은 3층까지 올라온 것이었다.

라스콜리니코프는 온몸이 굳어 버린 듯, 손끝 하나 까딱할 수가 없었다. 드디어 발소리는 4층의 계단참을 울리고 있었다. 그 때서야 그는 비로소 몸을 부르르 떨며 다시 방 안으로 몸을 피하였다.

그는 문을 닫고 빗장을 질렀다. 그는 그런 일들을 아무 생각 없이 거의 본능적으로 하고 있었다.

그런 다음 그는, 숨을 죽이고 바싹 문 옆에 붙어 섰다. 발소리의 주인도 벌써 문 밖에 와 있었다. 그들은 지금 서로 마주 서 있는 것이었다.

얼마 전 그와 노파가 문을 사이에 두고 서로의 기척을 살폈듯이, 문 밖의 사람은 멈춰 선 채 몇 번이나 괴롭게 숨을 몰아쉬었다.

'몸집이 크고 뚱뚱한 사람임에 틀림없어!'

라스콜리니코프는 도끼를 쥔 손에 힘을 주었다.

마침내 문 밖의 사람은 초인종을 눌렀다. 쓰러진 노파를 불러일으키려는 듯, 초인종 소리는 약하나마 끈질기게 방 안에 울려 퍼졌다.

라스콜리니코프는 문득 그의 뒤에서 누군가가 움직이는 것 같은 착각이 들었다. 그래서 그는 몇 초 동안 열심히 귀를 기울이기까지 하였다.

문 밖의 사람은 다시 한 번 초인종을 눌렀다. 그래도 아무 기척이 없자, 그는 문의 손잡이를 힘껏 잡아당기기 시작하였다.

바깥에서 잡아 돌리는 대로 따라 도는 문의 손잡이를 라스콜리니코프는 공포에 질려 바라보고 있었다.

"도대체 어떻게 된 거야, 벌써 잠이 들었나? 이봐요, 리자베타!"

사나이는 우렁차게 울리는 소리로 외치더니, 계속해서 열 번쯤 있는 힘껏 초인종을 눌렀다.

그 때 또다른 구둣발 소리가 가까워졌다.

"아무도 없습니까?"

젊은 사나이의 목소리였다.

"말도 마시오. 난 하마터면 문을 부숴 버릴 뻔했소. 이렇게 깊이 잠들었을 리도 없고, 누구에게 목이라도 졸렸나?"

"이상하군요, 그 할머니가 집을 비우다니, 좀처럼 없는 일인데. 난 좀 볼일이 있는데 돌아갔다가 나중에 올 수밖에 없군요!"

"물론 돌아갈 수밖에 없지만, 밖에 나갈 거면서 노파는 왜 시간 약속까지 했을까요? 그래 놓고선 나를 이렇게 허탕치게 만들다니……."

목소리가 굵은 사나이는 다시 거칠게 손잡이를 잡아당겼다.

"잠깐, 저걸 보세요! 당신이 문을 잡아당기면 문이 움직입니다!"

나중에 온 젊은 사나이가 이상하다는 듯이 말하였다.

"문은 잠겨 있는 게 아니에요! 빗장만 걸려 있는 거예요."

"그렇다면?"

"아니, 그럼 안에 있으면서도 없는 척하는 거로군."

"조용히! 아무래도 이상해요. 무슨 일이 일어난 것 같아요. 방 안에서 두 사람이 정신을 잃고 쓰러져 있을 수도 있잖아요."

"글쎄, 아무튼 문지기를 부르러 가세!"

두 사람은 계단을 뛰어내려갔다.

잽싸게 빗장을 뺀 라스콜리니코프는 미끄러지듯 밖으로 나가 계단을 내려가기 시작하였다. 그가 2층까지 내려왔을 때, 떠들썩한 발소리가 아래층에서 들려 왔다.

'서너 명도 넘을 것 같은데……?'

발소리는 차츰 가까워졌다.

'아, 모르겠다. 될 대로 되라!'

라스콜리니코프는 최후의 순간을 맞은 짐승처럼 도끼를 고쳐 잡았다.

그 때, 별안간 구원의 신이 그에게로 손길을 뻗쳐왔다.

문이 활짝 열린 채로 텅 비어 있는 방이 눈앞에 보인 것이다. 그가 계단을 오를 때 페인트 칠을 하고 있던 방이었다. 지금은 사람의 모습이 보이지 않았다.

'됐다!'

그는 재빨리 빈 방으로 뛰어들어 몸을 숨겼다. 위기일발의 아슬아슬한 순간이었다. 그가 몸을 숨기고 나자마자, 떠들썩하게 이야기를 주고받는 사람들의 목소리가 아래층에서 4층 쪽으로 멀어져 갔다.

빈 방에서 나온 라스콜리니코프는 발소리를 죽이며 조심조심 계단을 내려왔다. 그 건물의 출입문을 벗어날 때까지 그는 아무도 마주치지 않았다.

소 환 장

라스콜리니코프는 갑자기 누가 밀어붙이기라도 한 것처럼, 긴 의자 위에서 눈을 번쩍 떴다.

밖에서 시끄러운 외침 소리가 그의 귓전을 찌르듯이 울려왔다. 밤마다 새벽 2시가 지나면 창 밑에서 곧잘 들려오는 소리였다. 지금도 그런 소리가 그를 불러일으켰던 것이다.

'아아! 주정꾼들이 벌써 술집을 나설 때구나.'

그는 긴 의자에서 일어나 앉았다. 그러자 순식간에 모든 일들이 한꺼번에 떠올랐다.

그 순간 그는, 자기가 미치기 직전에 있다고 생각하였다. 온몸에 오한이 덮쳐왔다. 그것은 누워 있을 때부터 열이 나기 시작하였기 때문이다. 오한이 갑자기 심해졌기 때문에 이가 딱딱 마주칠 정도가 되었고, 온몸이 후들후들 떨리기 시작하였다.

집 안은 모두가 죽은 듯이 잠들어 있었다.

그는 창가로 달려갔다.

새벽빛은 이미 충분하게 비쳐들고 있었다. 그래서 그는 얼른 자기 몸을 살펴보았다. 머리부터 발끝까지 이르도록 온몸을, 무슨 흔적이라도 남아 있는지 자세히 살펴보았다.

라스콜리니코프는 옷을 입은 채 살피는 것은 안심이 되지 않았다. 그는 오한에 떨면서도 입었던 옷을 모조리 벗어서 다시금 살펴보았다. 한 오라기의 실에서부터 한 조각 헝겊에 이르기까지 이 잡듯이 살펴보았다. 그렇지만 그래도 안심할 수가 없어서, 같은 짓을 세 번이나 되풀이하였다.

다행히 아무런 흔적도 남아 있지 않은 것 같았다.

다만, 바지 자락이 찢어져서 천조각을 붙인 곳에 딱딱하게 굳은 피 흔적이 남아 있었다. 그는 접는 칼을 꺼내어 찢어진 바지자락을 잘라내었다.

라스콜리니코프는 이제 아무 흔적도 없다고 생각하였다.

그는 문득 노파의 트렁크 속에서 끄집어 낸 물건과 지갑이 그대로 이쪽저쪽 주머니에 들어 있다는 사실이 떠올랐다. 그는 지금까지 그것들을 꺼내서 감출 생각도 하지 못하고 있었던 것이다.

그는 그 물건들을 모두 꺼내어 책상 위에 던져 놓았다. 그러고는 주머니를 뒤집어 아무것도 남아 있지 않다는 것을 확인하고 나서, 그 물건들을 구석으로 가지고 갔다.

　맨 구석에 벽지가 찢겨져서 매달려 있는 곳이 한 군데 있었다. 그는 그 벽지 밑 구멍에다 그것들을 쑤셔 넣었다. 그것들을 감추기에는 딱 좋은 자리였다.

　'이젠 아무것도 보이지 않겠지. 지갑도……'

　그는 엉덩이를 들썩하여 구석의 꽤 불룩해진 부분을 바라보면서 기쁜 듯이 중얼거렸다. 그렇지만 그는 순간적으로 무서운 공포에 사로잡혔다.

　"아아!"

　그는 절망한 나머지 중얼거렸다.

　"도대체 나는 어찌할 셈인가? 이렇게 해 놓고 숨겼다고 생각하다니. 이런 식으로 숨기다니!"

　사실 그는 애당초 물건 따위는 염두에 두지 않았다. 다만 돈을 목적으로 하였기 때문에, 처음부터 숨길 장소 따위는 생각지도 않았던 것이었다.

그는 맥없이 의자에 주저앉았다.

그러자 새로운 오한이 그를 견딜 수 없게 하였다. 그는 넝마나 다름없이 된 옛날 학생 시절에 입던 외투를 가져다가 온몸을 감쌌다.

그러자 졸리운 듯 정신이 흐릿해졌다. 그는 꾸벅꾸벅 졸기 시작하였다. 그러나 그것도 잠깐, 그는 또다시 벌떡 일어나 정신 없이 자기 옷을 움켜잡았다.

'아아, 어찌 이리 태평스레 잠만 잘 수 있단 말이냐! 아직 하나도 완전한 것이 없는데! 외투 안자락 겨드랑이 밑에 이게 그대로 있는데. 잊었다고? 이런 중대한 일을 잊었다고? 이런 완벽한 증거물을!'

그는 갑자기 지갑에도 피가 묻어 있었다는 사실을 생각해 냈다.

그는 곧 주머니를 뒤집어 보았다. 그러자, 아니나다를까 주머니 속에도 피의 흔적이 배어 있었다. 그는 바지 양쪽 주머니도 몽땅 떼어 냈다.

때마침 햇빛이 그의 구두를 비추었다. 구두 겉으로 비죽이 나온 양말에도 증거가 될 만한 피 자국이 남아 있을 것만 같았다. 그는 구두를 벗었다. 과연 양말 끝에도 피가 덕지덕지 묻어 있었다.

'아니, 이것들을 어떻게 처리한담? 이 양말이며, 바지 조각이며, 주머니, 이걸 어디에 숨겨야 좋다는 말인가?'

그는 그것들을 모두 손아귀에 움켜쥐고 방 한가운데 멍청히 서 있었다.

'난로 속에다 숨기나? 하지만 난로 속은 맨 먼저 뒤질 게 아닌가? 태워 버리면 어떨까? 하지만 무엇으로 태우지? 성냥조차 없는 주제에. 아니, 그보다는 어디다 버리는 편이 낫다! 그렇다, 버리는 게 제일이야!'

그는 다시 긴 의자에 주저앉았다.

그 때 요란하게 문을 두드리는 소리가 들려왔다. 문지기와 나스타샤의 목소리가 들렸다.

라스콜리니코프는 몸을 일으켜 구부정한 자세로 문고리를 벗겼다.

과연, 문지기와 나스타샤가 서 있었다.

라스콜리니코프는 꺼림칙하고 절망적인 얼굴로 문지기를 바라보았다. 문지기는 잠자코 두 겹으로 접은 싸구려 봉투의 회색 종이쪽지를 그에게 내밀었다.

"관청에서 온 소환장이오!"

문지기가 종이쪽지를 주면서 말하였다.

"어느 관청이지요?"

"뻔하지 않소? 경찰에서 보내온 거요!"

"경찰? 무슨 일로……."

"내가 그걸 어찌 알겠소. 가 보면 알 게 아니오."

문지기는 힐끔힐끔 그를 살펴보며 방 안을 한번 휘둘러 보았다.

"어째, 병이 난 것 같군요."

나스타샤가 그의 얼굴을 지켜보며 말했다.

"어제부터 열이 있는 것 같더니."

그녀가 덧붙인 말이었다.

라스콜리니코프는 손에 봉투를 꼭 쥔 채 대답을 하지 않았다. 그는 맥없이 긴 의자에서 다리를 내려 놓으려고 하였다.

"일어나지 말아요."

그 모습을 보고 측은하게 여긴 나스타샤가 말했다.

"몸이 아프면 안 가면 안 되나요? 괜찮을 거예요. 그런데 당신 손에 들고 있는 건 뭐지요?"

'앗!'

그는 외마디 비명을 입 안으로 삼켰다. 그의 오른손에는 찢어진 바지 조각과 양말, 그리고 바지 주머니에서 떼어 낸 것들이 쥐어져 있었다.

"어쩌면, 저런 넝마들을 마치 보물이나 되는 것처럼 안고 자다니……."

나스타샤는 이렇게 말하고는 늘 하던 대로 깔깔거리며 웃었다.

라스콜리니코프는 얼른 외투 밑에다 그것들을 감추고, 그녀를 빤히 쳐다보았다.

"차라도 마시면 어떨까요? 생각 없어요? 갖다 드릴게요. 남아 있거든요."

그는 일어서면서 중얼거렸다.

"그래 가지고 계단을 내려갈 수 있겠어요?"

"다녀오겠소."

"그렇게 하세요."

나스타샤는 문지기를 따라서 밖으로 나갔다.

라스콜리니코프는 즉시 햇볕이 드는 창가로 가서, 소환장 봉투를 뜯고서 읽기 시작했다.

그것은 오늘 오전 9시 30분에 관할 경찰서로 출두하라는 내용이었다.

그는 괴로운 의혹에 잠기면서 생각하였다.

'아아, 이제는 아무래도 좋아. 빨리 지나가 버리면 좋겠다!'

그는 순간적으로 꿇어앉아 기도를 하려다가, 스스로 피식 웃고 말았다. 아무리 생각해 봐도 정말 웃기는 일이었다. 그는 서둘러 옷을 갈아입었다. 다리가 마구 후들거렸다.

"정말 무섭다!"

그는 혼자 중얼거렸다. 열 때문에 머리가 혼란해지고 지끈지끈 아팠다.

"이건 술책이 뻔해! 이건 그들이 나를 불러 내어 꼼짝없이 잡아 넣으려는 술책이야!"

그는 계단을 나서면서 계속 중얼거렸다.

라스콜리니코프는 어제의 그 거리 모퉁이까지 오자 숨막히는 불안에 쫓겨, 거리와 그 집을 힐끗 바라보고는 이내 눈길을 돌려 버렸다.

'만일 심문을 당한다면 난 모두 자백해 버릴지도 몰라!'

경찰서를 향하여 걸어가면서 그는 이렇게 생각하였다.

경찰서는 그의 하숙집에서 2백 킬로미터쯤 되는 곳에 있었다. 그는 문에 들어서자 오른쪽 계단을 따라 4층을 향하여 올라갔다.

라스콜리니코프는 문이 활짝 열려 있는 대기실로 들어가 걸음을 멈추었다. 살펴보니 두 번째 방에 서기로 보이는 사람들이 앉아서 뭔가를 쓰고 있었다. 그는 그 중 한 사람 앞으로 다가갔다.

"뭐야, 자네는?"

그는 경찰서에서 보내 온 소환장을 내보였다.

"당신은 대학생이오?"

소환장을 힐끔 들여다보며 그 사람이 물었다.

"네, 그렇습니다. 원래 대학생입니다."

"저기, 사무장 앞으로 가 보시오!"

서기는 이렇게 말하면서 맨 끝 방을 가리켜 보였다.

라스콜리니코프는 사람들이 가득 차 있는 비좁은 방으로 들어갔다. 그는 사무장 앞에다 자기의 소환장을 내밀었다.

그러자 사무장은 힐끔 보고는,

"잠깐만 기다리시오."

이렇게 말하고 그대로 상복 차림의 여자와 하던 일을 계속 하였다.

'분명 그 일은 아니구나!'

그는 차차 기운이 생겼다. 그는 좀더 정신을 바짝 차려야 한다고 열심히 자기를 격려하였다.

혐 의

상복 차림의 여자가 일을 마치고 일어나려 하였다.

그 때, 요란스러운 구두 소리와 함께 경감 한 사람이 기운차게 어깨를 으스대면서 들어왔다. 그는 휘장이 달린 모자를 벗어서 되는 대로 탁자 위에 집어던지고 의자에 털썩 주저앉았다.

그 경감은 이 경찰서의 부서장인 일리야 페트로비치였다. 그는 좌우로 쭉 뻗은 붉은 콧수염과, 보기에도 뻔뻔스러워 보이는 인상을 빼면 이렇다 할 표정도 없는 옹졸한 사나이였다.

그는 곁눈으로 다소 불쾌한 듯 라스콜리니코프를 바라보았다.

옷차림이 너무 초라하다는 것과, 그처럼 초라한 행색을 해 가지고도 분수에 맞지 않게 좀 건방진 태도를 하고 있었기 때문이었다.

그런데 라스콜리니코프는 그런 생각을 미처 하지 못하고, 지나치게 오랫동안 그를 정면으로 바라보고 있었다.

그러자 경감은 마침내 버럭 화를 내고 말았다.

"넌 도대체 뭐야?"

경감은 호통을 쳤다. 이런 거지 행색의 사나이가 그의 번갯불 같은 눈초리를 받고도, 일체 굽히는 태도를 보이지 않는 것을 보고 놀란 것 같았다.

"소환장을 받고 왔습니다."

라스콜리니코프는 겨우 이렇게 대답하였다.

"아, 그 사람. 그 대학생은 빚 독촉에 대한 일로 불려왔습니다."

사무장이 서류에서 눈을 떼며 얼른 말하였다.

"여기 있어요!"

사무장은 장부를 라스콜리니코프 쪽으로 던지며 말하였다.

"이걸 읽어보시오."

'빚? 빚 독촉이라니?'

라스콜리니코프는 생각하였다.

'그러고 보니 분명히 그 일 때문은 아니다!'

이렇게 생각하자 그는 마음이 한결 가벼워졌다. 무거운 모든 짐을 다 털어버린 것 같았다.

"그런데 여기에는 몇 시에 출두하라고 되어 있지?"

경감은 한층 더 화를 내며 말하였다.

그렇지만 라스콜리니코프는 들은 체도 하지 않았다. 빨리 이 수수께끼를 풀고 싶어서 허겁지겁 서류를 집어들고 읽기 시작하였다. 그는 두 번씩이나 읽었지만 무슨 말인지 통 알 수가 없었다.

"이게 도대체 뭡니까?"

그는 사무장에게 물었다.

"당신이 빚을 지고 갚지 않았기 때문에 빨리 갚지 않으면 법에 따라 처리하겠다는 독촉장이오."

"하지만 난, 누구한테도 돈을 빚진 일이 없는걸요."

"그거야 우리가 상관할 일이 아니고, 우리 앞으로 이렇게 지불 요구에 대한 고소장이 들어왔으니 그대로 처리할 수밖에 없소. 아홉 달 전에 당신이 8등관 미망인 자르니치아에게 준, 현재는 7등관 체바로프 앞으로 넘어가 있는 이미 기한이 넘은 115루블짜리 부도 수표가 제출되어 있소. 그것에 대한 답변을 듣기 위하여 우리는 당신을 소환

한 것이오.”

“그건 하숙집 안주인이 아닙니까?”

“하숙집 안주인이면 별 수 있나요?”

사무장은 동정어린 미소와 함께 ‘어때, 좀 놀랐지?’ 하는 태도로 그를 바라보았다.

그러나 지금의 라스콜리니코프에게는 차용증서 따위는 문제가 될 리 없었고, 지불 명령서 따위가 머릿속에 있을 까닭이 없었다. 그는 다만, 스스로 지켜 이긴 승리감과 숨막히는 듯한 위험에서 벗어났다는 느낌, 이 두 가지뿐이었다.

그 때, 명랑하고 밝은 표정에 턱수염이 멋진 경찰관 한 사람이 들어왔다.

그는 이 경찰서 서장인 니코짐 포미치였다.

“또 천둥, 번개, 회오리바람, 태풍이 한꺼번에 몰아친 모양이군!”

서장은 상냥하고 친근하게 경감에게 말을 걸었다.

“또 심장을 자극한 모양이지. 대단하더군! 계단까지 들리더군.”

“아, 뭐…….”

경감은 좀 겸연쩍은 듯이 말하였다.

“아, 이 대학생이 말입니다. 돈은 지불하지 않고, 수표는 부도를 내고, 방은 내놓지 않고 해서 고소장이 들어왔지 뭡니까! 그런데 내가 대학생 양반 앞에서 담배를 피웠다고 나를 심문하고 있습니다. 자기는 비열한 짓을 다 해 놓고 말입니다. 어떻습니까, 저 꼬락서니가! 보시다시피 가장 매혹적인 모습을 하고 있지 않습니까?”

“가난은 죄가 아니라네. 어때요, 그렇지 않습니까? 그런데 자네는 무슨 일로 이 사람을 참지 못하게 하였지?”

서장은 상냥한 표정으로 라스콜리니코프 쪽으로 얼굴을 돌리면서 말하였다.

"오해를 하셨군요. 이 사람은 아주 마음씨가 착한 사람이라오. 그건 내가 보증합니다. 다만 성미가 화약 같을 뿐이오. 폭발한다, 들끓는다, 타버린다, 그것으로 그만이지요. 이 사람은 군대에서도 '화약 중위'라는 별명이 있을 정도였으니까……."

라스콜리니코프는 갑자기 그들을 향하여 뭔가 아주 유쾌한 말을 하고 싶은 충동이 들었다.

"아니, 천만의 말씀입니다, 서장님!"

그는 서장을 향하여 몹시 부드러운 말씨로 말을 꺼냈다.

"그런데 제 사정도 생각해 주십시오. 저는 가난하고 병든 대학생입니다. 계속 학비를 댈 수 없어서 지금은 쉬고 있습니다만, 곧 어머니로부터 돈이 올 것입니다. 서장님, 저는 돈이 오면 꼭 갚겠습니다. 그런데 하숙집에서는 너무합니다. 저는 그 하숙집에 벌써 3년이나 있었습니다. 하숙비가 좀 밀렸다고 글쎄, 요즘에는 밥도 주지 않습니다."

"이봐, 학생! 그따위 우는 소리는 아무도 듣지 않아요."

경감이 라스콜리니코프의 말을 가로막았다.

"자네는 의무의 이행만을 서명하면 돼! 그런 쓸데없는 이야기는 우리 경찰서와는 아무 관계도 없어!"

"이봐, 됐어. 그쯤 해 둬요!"

서장의 목소리가 거친 방 안의 공기를 부드럽게 해 주었다.

"그럼, 학생! 여기에 서명을 하시오."

기록계원이 부드러운 태도로 라스콜리니코프에게 서류를 내밀었다.

그는 아무 소리도 귀에 들리지 않는다는 듯 서장만 보고 있었다. 온화한 서장에게 모든 것을 털어놓고, 자기의 죄를 고백해 버릴까 하는 생각도 하였다.

"학생, 여기다 서명을!"

기록계원의 독촉에 그는 정신이 들었는지 펜을 들었다.

"아니, 학생! 학생은 글씨를 쓸 수 없을 것 같은데. 왜 그렇게 떨고 있소? 펜이 손에서 흘러내려 떨어질 것 같아."

"예, 조금 어지러워서……. 현기증 때문이지요."

그는 떨리는 손으로 서명을 끝냈다. 그러나 그는 서류를 돌려주고 나서도 일어나 나가려고 하지 않았다. 어지러워서 그러는 것처럼 팔꿈치를 탁자 위에 대고 머리를 힘껏 감싸쥐었다.

그 때 서장과 경감이 주고받는 말이 들려왔다.

"그럴 리가 있나, 둘 다 풀려나겠지! 첫째, 사정이 애매하지 않나? 생각해 보라고, 대학생인 페스트랴코프만 하더라도 문을 들어설 때 문지기 두 사람과 마을 부인이 보았다고 하지 않았는가. 그는 세 친구와 함께 왔다가 문 앞에서 헤어졌다는데, 친구들이 있는 앞에서 노파의 방을 물었다고 하지 않았나?"

서장은 잠시 말을 끊었다가 다시 말했다.

"그리고 코흐만 해도 그렇지. 노파를 찾아가기 전에 30분 동안이나 아래층 은방에 앉아 있다가 정각 8시 15분 전에 거기서 노파를 만나러 올라갔다고 하지 않나. 그래서 말이야, 좀 생각해 보라고……."

"하지만 말입니다. 실례지만, 그럼 어째서 그들 진술에 그런 모순이 생겼을까요? 처음 문을 두드렸을 때는 잠겨 있었다고 자기 입으로 말해 놓고, 3분 후에 문지기와 함께 갔을 때는 문이 열려 있더라고 하다니."

"바로 그 점이 중요해. 범인은 틀림없이 안에 있으면서 문에 빗장을 질러 놓았던 거야."

라스콜리니코프는 마치 머리 꼭대기에 못이라도 박히는 느낌이었다.

'아아, 어젯밤에 노파를 찾아왔던 그 두 사람이 취조를 당하고 있구나!'

그는 자리에서 벌떡 일어나 모자를 집어들고 문 쪽을 향하여 걷기 시작했다. 그러나 그는 몇 걸음도 걷지 못하고 쓰러지고 말았다.

이윽고, 정신을 차린 그는 자기가 의자에 앉혀져 있다는 것을 알았다. 한 사나이가 자기를 부축하고 있었으며, 그 옆에는 노란 액체가 든 컵을 들고 기록계원이 서 있었다.

"왜 그래? 병인가?"

서장의 목소리가 들렸다.

"이 학생은 서명도 가까스로 했습니다. 몸에 열이 높습니다."

기록계원이 대답하였다.

"이봐, 자네는 언제부터 앓기 시작했나?"

경감이 서류를 뒤적이며 소리쳐 말했다.

"어제부터입니다."

"어제는 외출했었나?"

"예, 오후에 잠깐."

"몸이 아픈데도? 몇 시쯤?"

"저녁 7시 좀 넘어서요."

"어딜 갔었나?"

"늘 다니던 거리에……."

"간단하고 명확하군!"

라스콜리니코프는 창백한 얼굴로, 경감의 검고 타는 듯한 눈동자를 마주 보며 띄엄띄엄 대답하였다.

"저렇게 간신히 서 있는 사람을 가지고 자네는……."

옆에서 서장이 주의를 주었다.

경감은 다시 서류로 눈길을 돌리며 고개를 끄덕였다.

라스콜리니코프는 사람들의 시선을 등뒤로 받으며 방을 나왔다.

그가 방을 나오자마자 곧, 뒤에서 떠들썩하게 이야기가 시작되었다. 그 중에서도 특히 그의 신경을 자극한 말은 '아무래도 이상하다'고 우기는 경감의 목소리였다.

거리로 나와서 라스콜리니코프는 완전히 정신을 차렸다.

'수색, 수색, 곧 수색이다!'

그는 하숙집을 향하여 걸음을 재촉하면서 속으로 되풀이하였다.

'도둑놈 같으니, 날 의심하고 있잖아!'

조금 전과 같은 두려움이 또다시 그의 온몸을 머리부터 발끝까지 사로잡았다.

라즈미힌의 우정

'하지만 만일, 이미 가택수색이 끝났다면?'

근심으로 가득하던 라스콜리니코프는 하숙집 방에 들어선 순간, 안도의 숨을 내쉬었다. 아무 일도 없었다. 누구 하나 다녀간 흔적도 없었다. 나스타샤조차 다녀간 흔적이 없었다.

그는 구석으로 달려가 벽지 밑으로 손을 넣어 훔쳐온 물건들을 꺼내어 주머니 속에 넣기 시작하였다. 귀걸이인지 뭔지, 아무튼 모두 여덟 가지가 있었다. 그 물건들을 다 챙긴 그는 방문을 열어 놓은 채 방을 나왔다.

그는 혹시 미행을 당하지 않나 걱정이 되었다. 무슨 일이 있더라도 미행을 당하기 전에 감쪽같이 증거물을 없애 버려야 했다.

그는 에카테리아 운하의 강기슭을 헤매었다.

'이것들을 운하 속에 던져 넣어 버리면 그것으로 모든 것은 끝나는 거다!'

그러나 그는 운하보다도 그것들을 숨기기에 아주 좋은 빈터를 발견하였다. 외따로 떨어져 있는 빈터가 있었는데, 그 빈터에는 건축재료가 쌓여 있었다. 그는 주위를 한번 둘러본 뒤, 사람이 없다는 것을 확인하고는 그 곳을 향하여 빠른 걸음으로 걸어갔다. 그러자 구석진 곳에 세워져 있는 큼직한 바위 하나가 눈에 띄었다.

그는 있는 힘을 다하여 바위를 뒤집었다. 바위가 밀려난 자리에 조그마한 구멍이 패어 있었다. 그는 주머니에서 그 범행의 증거물들을 모두 꺼내어 그 속에 집어 넣었다.

그는 바위를 다시 한 바퀴 돌려 본래의 위치대로 세웠다. 약간 높아진 것 같았지만, 그런 대로 바위는 제자리 구덩이에 들어맞았다. 그는 흙을 긁어모아 바위 언저리에 고루 펴서 발로 밟았다.

'이만하면 됐어! 이것으로 모든 건 끝났어. 증거가 없어졌단 말이야.'

라스콜리니코프는 씩 웃었다.

그는 바실리에프 섬에 있는 친구, 라즈미힌의 집을 향하여 걷고 있었다. 노파를 없애고 라즈미힌을 찾아가기로 했던, 사건 전날의 생각이 그 순간에 문득 떠올랐기 때문이었다.

그는 작은 네바 강의 다리를 건너 5층에 있는 라즈미힌의 방으로 올라갔다.

그는 집에 있었다. 마침 자기 방에 틀어박혀 뭔가를 쓰고 있다가 문을 열어 주었다.

"아니, 자네 웬일인가?"

라즈미힌은 깜짝 놀랐다. 그들은 4개월 동안이나 만나지 않았던 것이다.

"자, 앉게나. 자네, 무척 피곤한 것 같군 그래."

그는 다 낡은 긴 의자를 가리키며 말하였다.

"라즈미힌, 내가 자네를 찾아온 건 적당한 데 가정교사 자리가 없을까 해서……. 하긴, 가정교사 자리 같은 건 이젠 필요도 없지만 말이야."

"여보게, 자네 헛소리를 하고 있군. 이봐, 어디가 많이 아픈 모양인데! 자네 그걸 알고 있나?"

라즈미힌은 문득 라스콜리니코프가 아프다는 것을 알아차렸다.

"아니, 난 헛소리를 하고 있는 것이 아니야."

라스콜리니코프는 긴 의자에서 벌떡 일어났다. 그는 지금 자기가 이 세상 어느 누구와도 얼굴을 마주 대할 기분이 아니라는 것을 깨달았던 것이다.

"그럼, 잘 있게!"

그는 더 이상 라즈미힌과 마주 앉아 이야기를 주고받을 수 있는 마음이 아니었다.

"기다려, 기다리라니까! 정말 이상한 친구 다 보겠네."

라즈미힌은 문 어귀까지 따라오며 그를 붙잡았다.

"필요없어! 나는 가겠네."

"그럼, 자네는 무엇 때문에 여길 찾아왔지? 자네, 혹시 돌지 않았나? 이건 나에 대한 모독이네. 이대로 돌려보낼 수는 없네."

라즈미힌은 화가 나서 거칠게 그를 끌었다.

"그럼, 말하지. 내가 자네한테 온 것은 자네말고는 나를 도와줄 사람이 아무도 없을지 모르기 때문이야. 하지만 이제는 아무것도 필요없다는 것을 알았네. 알겠나? 정말로 이제 누구의 도움도, 동정도 필요없게 되었어. 난 스스로……. 아니, 이제 그만! 라즈미힌, 제발 나를 내버려 두게!"

"가만 있어. 이 굴뚝 청소부 같은 놈아. 넌 정말 미쳤어! 내 말도 좀 들어 봐."

"아니야, 제발. 라즈미힌!"

라스콜리니코프는 친구의 손을 뿌리치고는 휘청휘청 걸어나왔다.

"이봐! 자네 지금 어디서 살고 있나?"

대답이 있을 리 없었다.

"망할 녀석, 마음대로 하라지!"

그러나 라스콜리니코프는 이미 길가에 나와 있었다. 그는 해질녘이 되어서야 겨우 자기 방에 당도하였다. 그러고 보니 여섯 시간 동안이나 헤매고 다녔던 것이다. 어디를 어떻게 지나서, 어떻게 돌아왔는지 그는 전혀 기억이 없었다.

옷을 벗어놓자마자 그는 마치 억지로 달려야 했던 말처럼, 온몸을 부들부들 떨면서 긴 의자 위에 누워 외투를 머리까지 뒤집어썼다. 그리고 그는 그대로 혼수상태로 빠져들고 말았다.

시간이 얼마나 흘렀는지 모른다. 라스콜리니코프는 누군가 부르는 것 같아 눈을 떴다. 문 한쪽 구석에 밝은 아침 햇살이 줄무늬를 이루며 쏟아져 들어오고 있었다. 아마 10시는 되었을 것 같았다. 자세히 보니 그의 머리맡에 나스타샤가 낯선 사람과 함께 서 있었다.

"이 사람이 누구지, 나스타샤?"

"어머, 정신이 들었군요."

나스타샤가 반색을 하였다.

"정신이 드셨습니까?"

낯선 사람의 얼굴도 밝아졌다.

그 때 문이 열리고 라즈미힌이 뛰어들어왔다.

"마치 3등 선실 같군! 늘 머리를 부딪힌단 말이야."

"방금 정신이 드셨어요."

나스타샤가 라즈미힌에게 말하였다.

"그렇소, 이제 막 정신을 차렸소."

옆에 서 있던 사나이가 맞장구를 쳤다.

"그래요, 그런데 당신은 누구시죠?"

라즈미힌은 낯선 사내에게 물었다.

"아, 나는 협동조합에서 나왔습니다. 라스콜리니코프 씨의 어머니께 부탁을 받은 상인 한 분이, 우리 조합을 통해서 35루블을 송금해 왔습니다. 그래서……."

"아, 그거 잘 됐군요. 그래서요?"

"예, 그래서 영수증에 서명을 받으려고요."

"이봐, 라스콜리니코프. 눈 좀 떠 보게. 자, 여기 펜이 있어. 어서 서명을 하게."

"필요없어. 서명 따위는 안 해!"

그는 버럭 화를 냈다.

"뭐! 자넨 돈이 몹시 아쉽지 않나? 어서 펜을 들라고."

라즈미힌은 억지로 펜을 쥐어 주려고 하였다.

"그만 뒤! 내가 쓰겠어."

라스콜리니코프는 거칠게 펜을 움켜쥐고는 쓱쓱 서명을 하였다. 영수증을 받아든 협동조합 직원은 35루블을 꺼내 놓고는 돌아갔다.

"자, 라스콜리니코프! 이제 뭘 좀 먹게."

"응, 그래야겠네."

"수프가 있나요?"

라즈미힌은 나스타샤를 돌아보며 물었다.

"예, 있어요."

재빠르게 뛰어나간 나스타샤는 곧 수프를 가지고 왔다. 이어 소금, 후춧가루, 겨자 등을 곁들인 아침식사와 차를 가져왔다. 식탁보는 깨끗하였다. 이렇게 갖출 것을 다 갖춘 식사는 정말 오랜만에 해 보는 것 같았다.

"나스타샤, 맥주 두 병만 갖다 주지 않겠어?"

"정말 염치도 없군요."

나스타샤는 투덜거리면서도 맥주를 가지러 아래층으로 내려갔다.

그 때까지 식사를 시작하지 않고 있던 그는,

"라즈미힌, 내가 몹시 앓았나?"

하고 물었다.

그는 무엇인가를 찾아 내려는 듯이 친구의 얼굴을 날카로운 눈초리로 살피고 있었다.

"응, 아무튼 자네는 오늘까지 나흘 동안 먹지도 않고 마시지도 않았다네. 두 번이나 조시모프를 데리고 왔었지. 그 녀석도 이젠 완전히 의사 티가 나더군."

라스콜리니코프는 라즈미힌의 친구인 의과 대학생의 얼굴을 눈앞에 떠올렸다.

"내가 헛소리 같은 건 하지 않았나?"

"했지. 자넨 제정신이 아니었으니까."

"무슨 소릴 했지?"

"무슨 소리를 했느냐고? 무슨 소린지 뻔하지 뭐. 자, 이제 그런 이야긴 그만두고 식사나 하게."

라즈미힌은 의자에서 일어나며 모자를 집으려고 하였다.

"무슨 소릴 했냐니까?"

"아니, 무척 신경을 쓰는군. 무슨 비밀이 있어서 그걸 지껄이지나 않았나 하고 걱정하고 있나?"

라즈미힌은 다시 의자에 앉으며 말을 이었다.

"걱정 말게나. 처음부터 계속 쓸데없는 소리만 중얼거렸으니까. 물통이 어쨌다느니, 귀고리가 어떻고, 쇠사슬이 어쨌느니, 어디 문지기가 어떻고, 경감이 어떻다는 둥 하나도 알아들을 수 없는 소리뿐이었지."

라스콜리니코프는 깊은 한숨을 쉬었다. 라즈미힌은 계속 말을 이었다.

"참 그렇군. 자네는 양말이 몹시 걱정되었나 보더군. 그저 애원하듯이, '양말을 줘, 양말을!' 그 말만 되풀이하는 거야. 그래서 더러운 양말을 쥐어 주었더니 잠잠해지더군."

쾌활하게 웃던 라즈미힌은 자리에서 일어났다.

"참, 이 사람! 한 가지 일은 해치우자고. 35루블 중에서 10루블을 가져 가겠네. 그리고 가는 길에 조시모프에게 들러 자네가 정신을 차렸다고 알려 주겠네."

라즈미힌은 빨리 식사를 하라고 권하고는 방을 나갔다.

라스콜리니코프는 그의 발소리가 계단 아래로 멀어지기를 기다렸다가, 벌떡 일어나 떨어진 벽지 틈으로 손을 집어넣었다. 아무것도 없었다.

'아, 아직도 나쁜 꿈이 계속되고 있군. 달아나는 수밖에 없어. 그렇다! 이왕 도망치려면 멀리 미국으로 가자. 그런데 옷이 없군. 구두도 없고, 더구나 뛸 기력조차 없어.'

라스콜리니코프는 식사도 하는 둥 마는 둥 그대로 긴 의자에 쓰러져 버렸다.

열에 들뜬 그의 머릿속에는 모든 사물과 생각들이 어지럽게 떠다녔다. 마침내 그는 그 자신도 둥둥 떠다니는 것처럼 느꼈다. 오랫동안 그런 상태에 빠져 있던 그는 또다시 깊이 잠들어 버렸다.

누군가 들어오는 소리를 듣고 그는 잠에서 깨어났다.

라즈미힌이 문을 활짝 연 채 문턱에 서 있었다. 라스콜리니코프는 벌떡 일어나 긴 의자에 앉았다.

"아니, 자는 게 아니었군. 나야, 나! 나스타샤, 꾸러미를 이리 가져와요."

라즈미힌이 선 채로 아래층을 향하여 소리쳤다.

"지금 몇 신가?"

불안한 듯 주위를 둘러보며 라스콜리니코프가 물었다.

"푹 잔 것 같군. 바깥은 벌써 저녁이야. 아마 6시에 가까울걸? 여섯 시간 이상이나 잔 걸세."

"큰일인데, 이게 무슨 꼴이람!"

"무슨 소리야? 푹 자서 그런지 안색이 퍽 좋아졌어. 자, 그럼 일을 시작하세."

라즈미힌은 나스타샤가 들여다 놓은 커다란 꾸러미를 풀기 시작하였다. 그 안에서는 싸구려 모자와 구두, 여름용 회색 바지, 새 내복 따위가 나왔다.

"자, 그 낡은 셔츠를 벗게. 그럼 말라리아도 물러가 버릴 걸세."

"내버려 둬, 싫어!"

모든 게 귀찮은 라스콜리니코프는 손을 내저었다. 그러나 라즈미힌은 거의 강제로 옷을 갈아입게 하였다.

"그런데 라즈미힌, 이렇게 많은 걸 무슨 돈으로 사 왔지?"

"이봐, 정신 차려! 자네 돈이 아닌가? 자네 어머니께서 보내 주신 돈이야.”

“아, 그렇군! 이제 생각이 나네.”

그 때, 문이 활짝 열리며 키가 크고 건장한 사나이가 들어왔다.

“아, 조시모프! 마침 잘 왔어.”

라즈미힌이 기쁜 듯이 큰 소리로 말하였다.

조시모프는 키가 후리후리하고, 뚱뚱한 몸집에 부드러운 머리카락을 가진 사나이였다. 부은 듯하고 혈색이 좋지 않은 창백한 얼굴에 말끔히 면도를 하고 안경을 쓰고 있었다. 기름져 보이는 큼직한 손가락에는 금반지를 끼고 있었다.

공포와 갈등

“여보게, 난 두 번이나 자네를 찾아갔었네. 보게나, 정신을 차렸잖아.”

라즈미힌이 호들갑스럽게 말하였다.

“알았어, 알았다고! 그래, 기분은 좀 어떠시오?”

조시모프는 라스콜리니코프를 빤히 내려다보고 있었다. 그리고는 긴 의자에 누워 있는 그의 발치 쪽에 가서 되도록 편한 자세를 취하고 있었다.

“글쎄, 노상 저렇게 시무룩해 있지 뭔가?”

라즈미힌이 말을 이었다.

“방금 셔츠를 갈아입혔어. 그랬더니 글쎄 울먹울먹하잖아.”

“그렇겠지. 본인이 싫다면 셔츠 같은 건 나중에 갈아입혀도 좋았을 것을. 맥박은 그만하면 됐고, 머리가 아직도 아픈가요?”

“난 건강합니다. 정말 건강하다니까요.”

라스콜리니코프는 이렇게 말하면서 별안간 긴 의자에서 벌떡 일어나 앉았다.

그리고 눈을 번뜩이며 이내 베개 위에 도로 픽 쓰러지더니, 벽 쪽을 향하여 돌아누워 버렸다.

조시모프는 가만히 그를 지켜보았다.

"아주 좋아요. 별 탈 없을 겁니다."

그는 노곤한 듯한 태도로 말하였다.

"오늘 밤, 이 친구를 데리고 산책을 할까 하는데?"

라즈미힌이 조시모프의 얼굴을 바라보았다.

"하지만 내일은 좀 어떨까, 잠깐 정도라면……. 아무튼 어디 경과를 두고 보세."

"그것 참 유감인걸. 오늘 나는 이사한 턱을 낼까 했는데. 여기서 몇 걸음만 가면 돼. 그래서 이 친구도 참석시킬까 했지. 하다못해 우리들 앞에 누워 있게라도 하려고 말야! 여보게, 자네는 꼭 올 테지?"

라즈미힌은 얼른 조시모프 쪽을 보면서 말하였다.

"응, 가도록 하지. 약간 늦어질지 모르지만 말이야. 도대체 얼마나 장만을 했어?"

"아니, 뭐 별로 차린 건 없어. 아주 친한 친구들만 초대한걸."

"어떤 친구들인가?"

"모두 이 근방에 사는 친구들인데 모두가 새로운 얼굴들이야. 하기야 늙으신 내 백부님을 제외하고 말일세. 그 다음 포르피리 페트로비치도 올 거야. 이 고장의 예심 판사라네. 법률가이지! 왜, 자네도 안면이 있을걸."

"그럼, 그 친구도 자네 친척인가?"

"응, 먼 친척이야. 그리고 그 밖에는 대학생이 두서너 명에다 교사,

관리, 음악가 한 사람……. 그리고 경감 자묘토프가 올 거야."

"여보게, 자네한테 한가지 묻겠는데, 자네든 이 친구분이든."

조시모프는 라스콜리니코프를 턱으로 가리켰다.

"그 자묘토프인가 하는 사나이하고는 어떻게 통하는 점이라도 있나?"

"아니, 정말 자네는 까다로운 친구로군. 따지려고만 들고! 내가 보기에 그 사람은 괜찮은 편이야. 자묘토프는 정말 특이한 사람이야."

"그러면서 슬금슬금 실속을 차린단 말이지."

"실속을 차리다니, 무슨 소리야? 자묘토프는 아직 젊은 사람이야. 그런데 혹, 자네가 듣고 싶다면 말해 줄 수도 있어. 사실은 우리들 사이에서 공통된 사건이 일어나고 있는 것 같네."

"그게 뭔데? 들어보고 싶군 그래."

"자네도 알고 있겠지만, 지금 세상이 온통 떠들썩한 전당포 노파 살해 사건 말이야."

벽 쪽을 향하여 누워 있던 라스콜리니코프는, 누렇게 빛 바랜 벽지의 흰 꽃무늬 속에서 흰 꽃 하나를 가려 내어 꽃잎이 몇 개나 되는지 눈으로 세어 보고 있었다.

"그 사건에 휘말린 칠장이가……."

"그 칠장이가 어쨌다는 거야?"

"아니, 자넨 아직 아무것도 모르는 것 같군. 좋아, 그렇다면 사건 후의 경과를 자세하게 말해 주겠네."

라스콜리니코프는 온몸이 마비된 것처럼 꼼짝도 않고 흰 꽃만 쳐다보고 있었다.

"경찰서에서는 물건을 저당하러 왔던 코흐라는 사나이와 페스트랴코프라는 대학생을 중요한 용의자로 체포해 갔지. 그런데 뜻밖에도, 전혀 새로운 사실이 나타났다네. 그 건물 맞은편에서 술집을 하고 있는 사나이가 금귀고리를 가지고 경찰서를 찾아왔다네."

"그래서?"

"술집 주인 말로는 니콜라이라는 칠장이가 그걸 들고 와서 2루블쯤 돌려주었으면 좋겠다고 했다는 거야. 경찰은 당장 니콜라이를 불러들여 조사해 보았다네. 그랬더니 칠장이는 동료와 함께 잠깐 밖에 나갔다가 들어와서 문 뒤에서 그걸 주웠다고 했다는 거야."

"뭐? 문 뒤에서!"

별안간 라스콜리니코프가 외쳤다. 그러나 그 소리는 거의 알아들을 수 없을 만큼 낮고 작았다.

"라즈미힌, 그래서 어떻게 됐지?"

"경찰들이야 '아, 문 뒤에서 주운 거군요'라고 할 수는 없을 테지. 그들은 그 칠장이를 진범으로 단정하고 있다네."

"뭐라고? 그런 바보 같은 소리가 어디 있어? 뭘 증거로 해서 칠장이를 진범이라고 단정할 수 있다는 말인가?"

평소에 다정하던 조시모프가 얼굴을 붉히면서 소리를 질렀다. 그 때, 갑자기 문이 열리면서 낯선 남자가 들어왔다. 꽤 나이가 들어 보이는 사람이었다.

그 사람은 잘못 들어오지 않았나 하는 표정으로 잠시 문턱에 서 있었다.

"대학생인, 아니 지금은 휴학중인 라스콜리니코프 씨가 여기 계십니까?"

그 사람은 조시모프를 향하여 공손하게 물었다.

"저기 긴 의자에 누워 있어요. 그런데 무슨 일이십니까?"

조시모프가 미처 입을 떼기도 전에 라즈미힌이 말하였다.

그 순간, 긴 의자에 누워 있던 라스콜리니코프가 벌떡 일어나 앉았다.

그리고 마치 덤벼들기라도 하듯이,

"그렇소, 내가 라스콜리니코프요. 그런데 무슨 일이지요?"

하고 낯선 사람을 똑바로 쳐다보았다.

"피오트르 페트로비치 루진입니다. 내 이름이 낯설지 않으시지요?"

그러나 라스콜리니코프는 전혀 다른 일을 생각하고 있었기 때문에 아무 대답도 할 수 없었다.

"이상하군요! 그럼, 아무 연락도 받지 못했단 말이오? 나는 당신 어머니께서 당신 앞으로 편지를 보낸 것으로 알고 있는데요. 당신에게 그 동안의 사정을 알리기 위해……."

"알고 있소, 물론 알고 있단 말이오!"

라스콜리니코프는 갑자기 큰 소리로 외쳤다.

"그럼, 바로 당신이었군! 당신이 바로 내 동생의 약혼자군요. 예, 이젠 더 이상 이야기를 들을 필요가 없소."

그러나 루진은 아무리 그가 경멸을 하여도 꾹 참겠다는 표정이었다. 잠깐 동안 침묵이 흘렀다. 마침내 루진은 쏘아보는 듯한 라스콜리니코프의 시선을 마주 받으며 입을 열었다.

"당신이 이렇게 괴로워하고 있는 줄 알았더라면, 좀더 일찍 찾아왔을 텐데. 하지만 나도 그 동안 여러 가지로 바빴습니다. 지금 저는 변호사로서 큰 일을 맡고 있어요. 그리고 당신의 어머니와 여동생을 맞을 준비도 있고 해서……."

라스콜리니코프는 그의 말을 들으면서 새삼스럽게 그를 관찰하기 시작했다.

그는 마흔다섯 살이라는 나이보다 젊어 보였고, 입고 있는 옷은 방금 양복점에서 찾아온 것처럼 말쑥하였다. 흰 머리카락이 약간 섞인 머리도 이발사의 손으로 빗겨진 듯 단정하였다.

라스콜리니코프는 쓴웃음을 짓더니 다시 벽 쪽으로 돌아누워 버렸다.

루진의 얼굴은 금방 딱딱하게 굳었다. 그러나 끝까지 태연하게 참아 넘겼다.

"오늘은 인사를 나누었으니 이만 돌아가겠습니다. 병이 나으신 후에 더욱더 깊이 사귀게 되길 바랍니다. 우린 이제 남남이 아니니까요. 그럼 몸조리 잘 하세요."

라스콜리니코프는 얼굴도 돌리지 않았다. 루진은 모자를 집어들고 의자에서 일어났다.

루진이 나가자마자 라즈미힌과 조시모프는 다시 조금 전의 이야기를 계속 하였다.

"전당포 노파를 죽인 자는 틀림없이 한 번쯤 그 집에 물건을 잡히러 왔던 놈이야. 예심 판사 포르피리도 드러내 놓고 말하지는 않지만, 그 방향으로 조사하고 있는 것 같아."

라즈미힌이 말하였다.

"뭐? 전당잡힌 일이 있는 사람들을 조사한다고?"

라스콜리니코프가 큰 소리로 물었다.

"그래, 그런데 그건 왜 묻나?"

"아니, 아무것도 아니야."

"어떻게 그 사람들을 알아 내 조사를 하지?"

조시모프가 라즈미힌에게 물었다.

"물건을 싼 종이에 이름이 적혀 있어서 알아 내기도 하고, 소문을 듣고 제 발로 찾아온 사람도 있어."

"아무튼 교활하기 짝이 없는 악당이야. 대담해, 정말 대담하기 짝이 없는 짓을 했어."

"그런데, 그게 그렇지 않아. 내가 보기에는 교묘하지도 않고, 상습적인 것도 아니야. 분명히 처음 한 짓이야. 모든 게 너무 서툴고 엉성해. 그래서 난 우연에 의한 살인이 아닌가 생각했는데. 그런 처참한 살인을 저지른 범인은 겨우 10루블이나 20루블 정도의 물건을 훔쳤을 뿐이야. 장롱 서랍 속에는 현금만 1천 5백 루블이나 있었는데 말이야! 제대로 훔치지도 못하고 그저 사람만 죽인 거야. 계획적으로 도망칠 수 있었던 것도 아니고, 우연이라는 것이 그놈을 구해 주었을 뿐이야."

여기까지 듣고 있던 라스콜리니코프는 두려움으로 그만, 숨이 꽉 막히는 것 같았다.

그는 경련을 일으키면서 애원하듯이 말했다.

"여보게 라즈미힌, 제발 나 좀 혼자 있게 해 주게. 혼자서, 혼자서 말이야!"

그는 머리를 내저으며 괴로워하였다. 그 모습을 본 조시모프가 라즈미힌에게 눈짓을 하며 말했다.

"우리, 그만 가세!"

"하지만 괜찮을까? 혼자 있게 해도."

"괜찮다니까, 어서 나와!"

조시모프는 재촉하면서 나갔다. 라즈미힌은 무언가 잠시 생각한 후에 그의 뒤를 따랐다.

두 사람이 나간 후, 라스콜리니코프는 의자 위에 일어나 앉았다. 그는 잠깐 불안한 심정으로 주위를 둘러보고 몸을 일으켜 문을 잠갔다.

"오늘이야말로……."

그는 혼자 중얼거리며 라즈미힌이 사 온 옷 보따리를 풀어서 옷을 갈아입었다. 말끔히 옷을 갈아입고 나니 몸서리치는 공포감도 사라지고, 이상하게도 마음이 차분해지는 느낌이었다.

그는 탁자 위에 놓여 있는 돈을 보고 잠시 생각한 다음, 주머니 속에 집어넣었다.

돈은 25루블이 있었다. 그리고 라즈미힌이 옷값을 치르고 거슬러 받은 잔돈 5코페이카까지 몽땅 집어들었다. 그러고는 살며시 빗장을 벗기고 방을 나서서 계단을 내려갔다.

그는 한 곳에 이르자 자기도 모르게 걸음을 멈추었다. 무심코 고개를 쳐든 그의 눈앞에 그 건물의 입구가 먹이를 기다리는 덫처럼 검게 열려 있었다.

물론 그는 그 날 밤 이후로는 이 곳에 한 번도 오지 않았으며, 그 앞을 지나간 일조차 없었다. 그런데도 그는 지금, 자기 자신을 억제할 수가 없었다.

그는 마치 이상한 힘에 이끌리듯이 비틀거리며 문으로 들어섰다. 그리고 오른쪽에 있는 계단을 오르기 시작하였다.

좁고 가파른 계단은 몹시 어두웠다. 차츰 가빠지는 숨소리를 들으며, 그는 계속 계단을 올라갔다. 마침내 4층이었다.

'바로 여기다!'

노파의 방문은 활짝 열려 있었다. 벽지를 새로 바르는지 벽에 달라붙어 일하는 일꾼들의 모습이 보였다.

라스콜리니코프는 성큼성큼 방 안으로 들어섰다.

"무슨 볼일이라도 있으십니까?"

일꾼 하나가 물었다.

"방을 얻을까 해서. 바닥은 다 씻어 냈나 보군."

"예? 무슨 말씀을……?"

"핏자국이 없어졌어. 이젠 깨끗하지 않소?"

"무슨 피 말입니까?"

"아니, 이 방에서 노파와 그 여동생이 맞아 죽지 않았소? 그 때는 온통 피투성이였지."

"당신은 도대체 누구시오?"

"알고 싶소? 그렇다면 함께 경찰서로 갑시다! 거기서 모두 이야기할 테니까."

일꾼들은 모두 일손을 놓고 그를 쳐다보았다. 마침내 가장 나이 들어 보이는 한 사람이 소리치다시피 말하였다.

"자, 돌아들 가세! 문단속 단단히 하고!"

그 사람은 말을 마치고 일꾼들과 함께 방을 나왔다. 라스콜리니코프도 뒤따라 나왔다.

계단이 끝난 출입구에 조금 전에는 없던 문지기 두 사람이 서 있었다. 일꾼들은 문지기에게 라스콜리니코프의 수상쩍은 행동에 대해서 말하였다.

그러자 문지기는,

"취한 사람이오! 상대하지 말아요. 긁어 부스럼 만들지 말고, 상대하지 않는 게 좋아요."

라고 할 뿐, 더 자세하게 알아 보려 하지 않았다.

"그래, 공연히 끼어들 필요 없어요!"

문지기의 말을 등 뒤로 들으며 그는 거리로 나왔다.

'아무튼 정리를 해야지. 그렇게 하고 싶단 말이야.'

경찰서는 거기서 한달음에 갈 수 있었다. 그런데 순간, 그의 가슴 속에는 또다시 공포감이 치솟았다.

'자, 가야 하느냐, 가지 말아야 하느냐!'

그는 네거리 한가운데 멈추어 서서, 마치 누군가의 마지막 말이라도 기다리는 듯 주위를 둘러보며 생각을 하였다.

그 때, 문득 길게 깔린 어둠 속에서 많은 사람들의 이야기 소리와 고함치는 소리가 들렸다. 그 쪽을 쳐다보니, 저만치 2백 걸음쯤 떨어진 마을 끝 쪽에 한 무리의 마을 사람들이 웅성거리고 있었다. 그 사람들 한가운데에는 마차가 한 대 서 있었다.

"대체, 무슨 일일까?"

라스콜리니코프는 오른쪽으로 꼬부라진 길을 따라 사람들이 모여 있는 쪽으로 걸어갔다.

마르멜라도프의 죽음

거리 한가운데에 두 마리의 튼튼한 잿빛 말이 끄는 호화로운 포장마차가 서 있었다.

그런데 마부는 마부석에서 내려와 옆에 서 있었고, 말은 재갈을 물려 꽉 잡고 있었다. 주위에는 많은 사람들이 몰려들었고, 맨 앞에는 경찰들이 서 있었다.

라스콜리니코프는 가까스로 사람들 틈을 비집고 속으로 파고들어가서야, 겨우 사람들이 모여 있는 원인을 알아 냈다.

땅 위에는 방금 마차에 치여 쓰러진, 보기에 너무도 초라해 보이는, 그러나 신사인 듯한 옷차림의 한 사나이가 온몸이 피투성이가 되어 쓰러져 있었다.

얼굴과 머리 할 것 없이 유혈이 낭자하였고, 얼굴은 온통 상처투성이였다. 살갗이 벗겨져서 보기에도 끔찍스럽기가 이를 데 없었다. 보통으로 짓밟힌 게 아니라는 것을 한눈에 알아 볼 수 있었다.

라스콜리니코프는 사람들을 헤치고 더 가까이 다가가 보았다.

이때 갑자기 초롱불이 불행한 이 사나이의 얼굴을 환히 비추어 주었다. 그는 그 사나이를 알아볼 수 있었다.

"이 사람은 내가 알고 있어. 알고 있어요!"

그는 맨 앞으로 나가서 외쳤다.

"이 사람은 퇴직한 9등 관리입니다. 이름은 마르멜라도프요! 이 사람은 바로 이 근처에 살고 있소. 빨리 의사를 불러요. 빨리! 치료비는 내가 부담할 테니까. 자, 보시오!"

그는 주머니 속에서 돈을 꺼내어 경찰에게 보여 주었다.

다친 사나이를 몇몇 사람이 도와 운반하였다. 라스콜리니코프는 조심스럽게 머리를 받쳐들고 뒤따라가며 길을 안내하였다.

아내인 카테리나는 새파랗게 질려서 우뚝 선 채 어깨로 숨을 쉬고 있었다. 아이들도 겁에 질려 있었다.

"제발, 마음을 가라앉히십시오. 놀라지 마십시오!"

라스콜리니코프는 빠르게 말하였다.

"주인 어른께서는 길을 건너려다가 마차에 치이셨습니다. 하지만 너무 염려 마십시오. 곧 정신을 차리실 겁니다. 제가 이리로 모셔오게 했습니다. 난 여기에 한 번 온 적이 있었지요. 기억하시는지요? 곧 정신이 드실 겁니다. 돈은 제가 부담할 테니 너무 염려 마세요."

"아아, 끝내……."

카테리나는 거의 절망적인 소리를 내며 옆으로 달려갔다. 라스콜리니코프는 그 동안에 의사한테 사람을 보냈다.

"지금, 의사를 부르러 보냈습니다."

그는 이렇게 힘주어 말하였다.

"폴랴!"

카테리나가 외쳤다.

"소냐 언니를 불러와, 어서! 만일 집에 없으면, 그래도 좋으니까 어서

가서 아버지가 마차에 치였으니 돌아오는 대로 곧 달려오라고 해!"

마르멜라도프는 눈을 떴지만, 아직 아무것도 분간하지 못하는 것 같았다. 그는 자기를 들여다보고 있는 라스콜리니코프를 빤히 보기 시작하였다.

카테리나가 슬픈 듯한, 그러면서도 또렷한 눈초리로 남편을 바라보았다. 그녀의 눈에서는 눈물이 흘러내렸다. 그녀는 절망적으로 외쳤다.

"아아, 이럴 수가! 가슴을 짓눌렸어요. 피가, 피가……."

마르멜라도프는 그녀를 알아 보았다.

"신부님을……."

그는 쉰 목소리로 말하였다.

그 때, 까다로워 보이는 독일인 노인 의사가 두리번거리면서 들어왔다. 그는 환자 옆으로 다가가 맥을 짚어 보고, 조심스럽게 머리를 만져본 다음, 온통 피투성이가 된 앞가슴을 헤쳤다.

가슴은 짓눌려 엉망진창이 되었고, 오른쪽 갈비뼈가 두 개나 부러졌다. 왼쪽 심장 바로 윗부분에 누르스름한 반점이 생겨나 있었다. 정말 무참한 말발굽 자국이었다.

의사는 눈살을 찌푸렸다. 경찰은 의사에게, 부상자는 마차 바퀴에 걸린 채 길 위를 서른 걸음이나 끌려갔다고 말해 주었다.

"그런데도 한 번이나마 정신이 들었다는 것은 기적에 가까운 일입니다."

의사는 가만히 라스콜리니코프의 귀에 대고 말하였다.

"그래, 어떻게 될까요?"

"곧 운명할 겁니다."

이 때, 발소리가 나면서 휴대용 성체를 받들고, 백발의 신부가 들어왔다.

참회식은 지극히 간단하게 끝났다. 죽음이 눈앞에 다가온 마르멜라도프는 아무것도 의식하지 못하였다. 다만 띄엄띄엄 알아들을 수도 없는 소리를 낼 뿐이었다.

카테리나는 입술을 꼭 깨물고 슬픔을 억누르고 있었다.

언니를 데리러 간 폴랴가 재빨리 달려들어왔다. 그녀는 숨이 턱에 차서 들어왔는데, 눈을 두리번거리며 어머니를 찾아 옆으로 다가서며 말하였다.

"지금 와요! 도중에 만났어요!"

카테리나는 폴랴를 끌어당겨 자기 옆에 앉혔다.

그러자 그 때, 한창 나이의 처녀 하나가 겁에 질린 듯 조용조용 들어왔다. 바로 소냐였다.

그녀가 들어서자 가난과 누더기와 죽음과 절망 속에 빠져 있던 방 안이 갑자기 환해진 듯하였다.

그녀는 부풀어오른 스커트에 화사한 구두를 신고 있었다. 그녀는 또 불타는 듯한 붉은 깃털이 달린 모자를 쓰고 있었다.

소냐는 열여덟 살쯤 되어 보였고, 야위고 작은 몸에 푸른 눈과 황금빛 머리를 가진 꽤 아름다운 여자였다. 그녀는 긴 의자와 신부 쪽을 바라보았다.

마르멜라도프는 거의 죽게 된 상태에서 괴로움을 겪고 있었다. 그는 자기 얼굴을 들여다보고 있는 아내한테서 눈을 떼지 않고 있었다.

그는 그녀에게 무언가 말하고 싶어 견딜 수 없다는 듯, 한사코 혀를 움직이면서 무슨 소린가를 내었다. 그렇지만 카테리나는 명령하듯 말하였다.

"잠자코 계세요. 다 알고 있으니까요. 말씀하고 싶어하는 게 뭔지 다 알고 있어요!"

그러자 마르멜라도프가 입을 다물었다.

그러나 그 때 헤매고 있던 시선이 문쪽에 머물자, 그는 거기서 소녀를 발견하였다.

"저게 누구야? 저게 누구야……?"

그는 갑자기 괴로운 듯 쉰 목소리로 말하였다.

"꼼짝 말고 누워 있으라니까요!"

카테리나가 소리쳤다.

그러나 그는 있는 힘을 다하여 팔꿈치를 짚고 일어났다. 전혀 딸을 몰라보는 듯 잠시 동안 빠히 쳐다보았다. 그러나 잠시 후 그는 딸을 알아 보았다. 순간, 그의 얼굴에는 고뇌의 빛이 떠올랐다.

"아아, 내 딸 소냐! 나를 용서해 다오!"

그는 이렇게 소리치며 그녀 쪽으로 손을 내밀려고 애를 썼다. 그렇지만 그는 견딜 수가 없는지 그만, 긴 의자에서 흐물흐물 아래로 굴러 떨어지고 말았다.

사람들이 달려들어 그를 부축해서 다시 제자리에 눕혔지만, 그는 이미 숨이 끊어져 있었다.

"앗!"

소냐는 가냘프게 외치며 달려가 아버지를 끌어안고 그대로 정신을 잃었다.

"이 양반은 끝내 소원 성취했어요!"

카테리나는 남편의 죽은 모습을 보고 부르짖었다.

"그건 그렇고, 앞으로 어쩌면 좋다는 말이에요! 어떻게 장례를 치러야 하며, 저 어린것들을 어떻게 먹여 살려야 한단 말이에요!"

라스콜리니코프는 카테리나 옆으로 다가갔다.

"부인, 지난 주였습니다. 운명하신 주인께서는 저에게 자신의 신세 타령과 댁의 사정을 말씀하셨어요. 주인께서는 아주머니에 대해서도 아주 감격에 찬 존경의 태도로 말씀하시더군요. 정말입니다. 그리고 우리는 그 날 저녁부터 친구가 되었지요. 그래서 실례지만 여기 20루블이 있습니다. 아무쪼록 도움이 되었으면 합니다. 그럼, 내일 다시 찾아뵙겠습니다."

이렇게 말한 그는 재빨리 방을 나와 총총걸음으로 계단을 향하여 갔다. 그런데 사람들 틈에서 그는 느닷없이 경찰서장 니코짐 포미치와 딱 마주쳤다.

"오오, 자넨가?"

그 일이 있은 후 그들은 한 번도 만난 적이 없었지만, 서장은 단번에 그를 알아 보았다.

"아, 서장님이 아니십니까!"

라스콜리니코프가 말하였다.

"운명했습니다. 의사도 오고 신부님도 오셔서 모든 것은 정리되었습니다. 부디 저 가엾은 여자가 더 이상 신경을 쓰지 않도록 도와주십시오. 당신은 참 좋으신 분이라는 걸 저는 잘 알고 있습니다."

그는 미소를 머금고 말하였다.

"그건 그렇고, 자넨 온통 피투성이가 아닌가?"

서장은 그의 조끼에서 생생한 핏자국을 발견하고 주의를 주었다.

"예, 피가 묻었습니다. 난 피투성이지요."

라스콜리니코프는 묘한 표정을 지으면서 말하였다. 그런 다음, 한번 싱긋 웃어 보이고 고개를 끄덕인 다음 계단을 내려갔다.

그런데 마지막 계단을 내려오는 순간, 갑자기 뒤에서 빠른 발소리가 들렸다. 누군가 그를 쫓아온 것이었다. 그 사람은 폴랴였다.

"저, 당신 이름이 뭐지요? 그리고 집은 어딘가요?"

폴랴는 숨을 헐떡이면서 물었다. 그는 소녀의 어깨에 두 손을 얹으면서 물었다.

"누가 시켰지?"

"소냐 언니가 시켰어요."

폴랴는 생글거리면서 대답하였다.

"꼬마 아가씨는 소냐 언니를 좋아하나?"

"예, 누구보다 제일 좋아해요."

그녀는 힘을 주어 말하였다.

"나도 좀 좋아해 줘! 언젠가는 나를 위해 기도도해 주고. 내 이름은 로지온이야."

"앞으로는 줄곧, 일생 동안 당신을 위해 기도할게요."

라스콜리니코프는 폴랴에게 자기 이름과 주소를 알려 주고, 내일 꼭 들르겠다고 약속을 하였다.

"됐어, 생명은 소중하다니까! 내 목숨은 저 늙은 노파와 함께 죽는 것은 아니란 말야!"

그는 단호하게 승리에 찬 말투로 중얼거렸다.

"난, 나는 살아갈 생각에 용기를 얻었다!"

라스콜리니코프는 힘차게 덧붙였다. 그는 친구 라즈미힌의 집을 향하여 발길을 돌렸다.

어머니와 누이동생, 그리고 소냐

라즈미힌의 집은 쉽게 찾을 수 있었다. 그의 집은 방이 꽤 컸는데, 계단 중간쯤에서부터 이미 큰 잔치가 벌어진 것처럼, 활발한 이야기 소리를 들을 수 있었다.

라스콜리니코프를 본 라즈미힌은 춤을 추다시피 달려나왔다. 그가 전에 없이 술을 많이 마셨다는 것을 알 수 있었다.

"저어……."

라스콜리니코프는 급하게 말하였다.

"안에 들어갈 수는 없네. 난 몹시 피곤해서 금방 쓰러질 것만 같으니까. 그러니 오늘은 여기서 인사하고, 내일 자네, 우리 집에 좀 와 주게나."

"그럼, 내가 자네 집까지 바래다 주지!"

"하지만 손님은 어떻게 하고?"

"녀석들, 지금은 나 같은 건 문제가 아니야. 더구나 난 바람을 좀 쐬어야 해. 잠깐 기다려. 조시모프를 불러낼 테니까."

조시모프는 허겁지겁 라스콜리니코프에게 다가왔다.

"곧 휴식을 취해야 합니다."

그는 라스콜리니코프를 되도록 조심스럽게 다루면서 말했다.

"그리고 자기 전에 이것을 조금 마셔 두십시오. 알겠습니까? 아까 지어 놓았던 것입니다. 뭐 대단한 약은 아닙니다."

라즈미힌은 거리로 나오자 대뜸 말을 꺼내었다.

"조시모프가 내게 이런 명령을 하더군. 길을 가면서 되도록 말을 많이 하고, 또 자네한테도 말을 많이 시켜서 나중에 들려 달라고 하더군. 그 녀석 전공은 외과인 주제에 지금은 정신병 연구에 몰두해 있지 뭐야!"

"그럼, 나도 그의 연구 대상이 되어 있다는 건가?"

"아냐, 그런 뜻은 결코 아니야!"

두 사람은 잠시 말이 없었다.

"여보게, 라즈미힌!"

이윽고 라스콜리니코프가 입을 열었다.

"난 지금 어느 상가 집에서 오는 길이라네. 어떤 관리 한 사람이 죽었어. 그래서 나는 주머니를 툭툭 털어 내놓고 왔다네. 만일 내가 누군가를 죽였다 해도 역시……. 아아, 내가 또 쓸데없는 헛소리를 했군. 난 몹시 피곤해. 날 좀 부축해 주게. 오오, 곧 계단이로군."

"이 사람, 정신 차리게!"

옆에서 라즈미힌이 부축을 하였다.

"아니, 저것 봐! 내 방에 불이 켜져 있군!"

"정말 그렇군! 나스타샤겠지 뭐."

두 사람은 계단을 올라갔다.

방 안에서는 여자들의 이야기 소리가 들려왔다. 라스콜리니코프는 문을 활짝 열었다.

"아, 어머니! 두냐!"

어머니와 누이동생 두냐가 긴 의자에 앉아 있었다. 그들은 벌써 1시간 30분 동안이나 그가 돌아오기를 기다리고 있었다.

기쁨과 감격에 넘친 외침이 라스콜리니코프를 맞이하였다. 어머니와 두냐는 그를 꼭 껴안고 키스를 하며 웃었다.

잠시 후 두냐의 결혼 이야기가 나왔다. 그러자 라스콜리니코프의 얼굴빛이 달라졌다.

"로쟈, 친절하게도 루진 씨가 널 찾아주셨다고 하는구나!"

어머니는 다소 망설이는 어조로 물었다.

"예, 분명히 찾아왔었지요. 친절하게도 말입니다. 그런데 난 그 사나이를 쫓아 버렸어요."

"아니, 로쟈. 무슨 말을 하는 거냐? 너는 지금 마음에도 없는 말을 하는 거지!"

"헛소릴 하는 겁니다. 헛소리가 아니라면 어떻게 저런 말을 할 수 있겠습니까? 내일만 되면 저런 바보 같은 소리는 하지 않을 겁니다. 그렇지만, 오늘 그 사람을 내쫓은 건 사실입니다. 그건 사실이에요. 그 사람도 막 화를 냈지요."

술에 취한 라즈미힌이 큰 소리로 허풍떨듯 말하였다.

두냐는 오빠의 얼굴을 뚫어지게 쳐다보고 있었다.

"두냐, 난 그 결혼을 찬성할 수 없어. 넌 내일 그 자를 만나면 한마디로 거절해 버리거라."

"오빠, 무슨 말을 그렇게……. 오빠, 좀 쉬세요. 무척 피곤해 보여요."

"아니, 너는 내가 헛소리를 하고 있는 것으로 보이니? 아니야, 넌 나 때문에 루진 씨와 결혼하려는 거야. 하지만 나는 그런 희생을 용납할 수 없어. 두냐, 내일 아침까지는 반드시 거절의 편지를 써야 한다. 알았지?"

"난 그럴 수 없어요."

"아니야, 두냐. 이 결혼은 비열해. 나는 비열한 자가 되어도 괜찮지만 너는 안 돼. 비록 나는 비열해도 비열한 동생은 바라지 않아. 나를 택하느냐, 루진을 택하느냐의 문제야. 두냐, 이젠 제발 돌아가 줘."

"자네 돌았군! 그런 폭군 같은 소리를 하다니."

앞에 있던 라즈미힌이 고함을 질렀다.

"오빠, 지금은 안 되겠어요. 내일 이야기해요. 내일!"

거의 울음을 터뜨릴 것 같은 표정으로 두냐는 자리에서 일어났다.

"어머니, 가요. 오빠는 지금 쉬셔야 해요."

두냐는 나직한 소리로 그의 어머니에게 재촉을 하였다.

"그렇지만 애야, 어떻게 아픈 아이를 혼자 두고 가겠니?"

어머니는 차마 일어설 수가 없어서 망설이고 있었다.

"내일이면 달라질 겁니다. 그리고 오늘 밤에는 제가 옆에 붙어 있겠습니다. 자, 그만 일어나세요. 제가 묵고 계신 여관까지 모셔다 드리겠습니다."

라즈미힌이 모자를 들고 일어서며 두 사람에게 말하였다. 어머니는 마지못해 따라 일어섰다.

"두냐, 난 이 결혼은 절대 반대야!"

라스콜리니코프는 방을 나서는 세 사람을 향하여 계속 소리를 지르고 있었다. 세 사람은 그의 고함소리를 들으며 계단을 내려갔다.

얼마 걷지 않아서 그들은 깨끗한 여관 앞에 이르렀다.

"그럼, 내일 아침 아홉 시에 두 분을 모시러 다시 오겠습니다."

"오늘 밤, 오빠를 잘 부탁해요."

"예, 안심하십시오. 저는 이 길로 의사를 데리러 가겠습니다. 그 일은 걱정 마시고 푹 주무세요."

라즈미힌은 성큼성큼 걸어서 돌아갔다.

이튿날 아침, 약속한 시간에 라즈미힌은 두 사람이 묵고 있는 여관에 나타났다.

"밤에 아무 일 없었나요?"

어머니는 밤새도록 궁금했던 일부터 물었다.

"예, 아직 자고 있지만 경과는 아주 좋습니다."

라스콜리니코프의 병세에 대하여 이야기를 주고받는 동안, 그들은 어느 새 그의 하숙집에 도착해 있었다.

방으로 들어서는 어머니의 얼굴을 보는 순간, 찌푸리고 있던 라스콜리니코프의 얼굴은 환해졌다.

"어머니, 이제 다 나은 것 같아요."

어머니와 누이동생을 번갈아 보며 라스콜리니코프는 상냥하게 말하였다. 그 한마디에 어머니의 얼굴은 환하게 빛났다.

그들의 뒤를 따라온 것처럼 의사 조시모프가 방문을 열고 들어왔다. 비좁은 방을 가득 채워 버린 사람들을 보고 놀란 듯, 그는 멈칫 문 앞에 섰다. 그러다가 그는 곧 부드럽게 웃으며 말했다.

"아, 어머니 되십니까? 너무 걱정 마십시오. 3, 4일 지나면 다 나을 겁니다."

조시모프에게 감사하다는 인사를 하고 있는 어머니와 두냐를 라스콜리니코프는 찬찬히 바라보고 있었다.

어머니는 벌써 마흔세 살이었지만 아직 두냐 못지않게 아름다웠다. 그러나 안색이 창백하였으며, 가끔 기침을 하기도 하였다.

얼마 후, 진찰을 마친 조시모프는 자리에서 일어났다.

조시모프가 돌아가자 라스콜리니코프는 두냐를 돌아보며 말하였다.

"두냐, 나는 말이야! 루진이라는 자의 사람됨을 짐작할 수 있어. 난 아무래도 그 사람이 너를 소중하게 여긴다고는 생각되지 않아. 하지만 이건 다만 참고로 네게 말해 두는 것뿐이야. 그것은 다 네가 잘 되기를 바라는 마음이 간절하기 때문이란 걸 알아 둬라."

두냐는 대답하지 않았다.

그 때, 문을 두드리는 소리에 이어 조용히 문이 열리면서 한 처녀가 조심스럽게 안으로 들어섰다.

모두 놀랍고 호기심에 찬 눈으로 그쪽을 바라보았다. 라스콜리니코프는 얼마 동안 그녀가 누구인지 알아보지 못하였다. 그러다가 그는,

"아, 당신이었군요!"

하고 자리에서 벌떡 일어났다. 그녀는 죽은 마르멜라도프의 딸 소냐였다.

소냐는 어제와는 달리 초라할 정도로 검소한 옷을 입고 있었으며, 쓰

고 있는 모자도 유행이 지난 낡은 것이었다.

"뜻밖이군요. 당신이 찾아오시다니. 자, 어서 앉으세요. 할 이야기도 있고 하니까."

어린아이처럼 겁에 질려 있는 소녀가 딱하게 보여, 라스콜리니코프는 어쩔 줄 몰라하였다.

"저, 어머니 심부름으로 잠깐 들렀어요. 내일 장례식에 참석해 주셨으면 해서……."

소녀는 머뭇거리면서 새빨개진 얼굴로 방 안의 두 여자를 살펴보았다.

"예, 꼭 가겠습니다."

저도 모르게 얼굴을 붉힌 라스콜리니코프는 어머니 쪽으로 고개를 돌려 소녀를 소개하였다.

"어머니, 말씀드렸던 마르멜라도프 씨의 따님입니다."

어머니는 가볍게 고개를 끄덕일 뿐이었다. 비록 집안 식구를 먹여 살리기 위해서라도 술집 여자로 행세하는 소녀가 못마땅했기 때문이었다.

"로쟈, 우린 그만 가 봐야겠다."

어머니는 긴 의자에서 일어서며 돌아갈 준비를 하였다.

"두냐, 가자! 로쟈, 우리와 함께 식사할 수 있겠지? 될 수 있는 대로 빨리 오도록 하거라!"

어머니와 두냐는 라즈미힌에게 가볍게 고개를 숙여 보이고는 가만히 문을 열었다.

두 사람을 계단까지 바래다 준 라스콜리니코프는 거의 뛰다시피 하여 되돌아왔다.

"라즈미힌, 자네에게 부탁이 있어."

라스콜리니코프는 라즈미힌을 창가로 데려가면서 말하였다. 그것을 본 소냐는 돌아가려고 일어섰다.

"아니, 잠깐만 기다려 주십시오. 우리는 비밀 이야기를 하려는 것이 아닙니다. 조금만 앉아 계십시오."

소냐를 붙들어 앉힌 라스콜리니코프는 라즈미힌에게 이야기를 계속하였다.

"자네, 그 사나이를 알고 있지? 예심판사라고 하던."

"포르피리 페트로비치 말인가? 그런데 그 사람이 어쨌다는 건가?"

"그 사나이가 담당하고 있는 사건, 자네도 알고 있는 노파 살해 사건 말이야!"

"그래, 그 사건이 어쨌다는 말인가?"

"그 예심 판사가 전당잡힌 일이 있는 사람들을 조사하고 있다고 하지 않았나? 실은 나도 노파에게 물건을 잡힌 적이 있네. 뭐 보잘 것 없는 것이긴 하지만 말이야."

"뭔데?"

"아버지가 남겨 주신 은시계와 누이동생이 기념으로 준 반지 하나야. 싸구려지만 내게는 소중한 거지. 나는 어머니가 그걸 좀 보자고 하실까봐 조마조마했었어. 그게 없어진 걸 알면 어머니는 충격을 받으실 거야. 어떻게 하면 좋지? 경찰에 알려야 한다는 건 알고 있지만 말이야."

"경찰서 따위는 가봤자 아무 소용 없어. 포르피리 쪽이 훨씬 나아. 아무것도 걱정할 것 없어. 지금 가 볼까? 여기서 멀지도 않아."

"저기, 나가실 거예요?"

이야기를 듣고 있던 소냐가 조심스럽게 말하였다.

"예, 아 참 내 정신 좀 봐! 소냐, 이 사람은 내 친구 라즈미힌입니다. 좋은 친구지요. 우리 같이 나갑시다. 나중에 꼭 당신을 찾아뵙도록 하지요. 소냐, 당신은 어머니하고 같이 살지 않고 다른 곳에서 살고 있다고 들었는데, 어디서 살고 계시는지 가르쳐 줄 수 없습니까?"

라스콜리니코프는 소냐의 조용하고 맑은 눈을 들여다보면서 말하였다. 그 눈을 바라보고 있는 동안 그의 마음은 차분하게 가라앉았다.

소냐는 라스콜리니코프에게 자기의 주소를 가르쳐 주면서 얼굴을 붉혔다. 세 사람은 밖으로 나와서 헤어졌다.

예심판사 포르피리

포르피리 페트로비치는 웃고 있었다.

구석 자리에는 뜻밖에도 경감 자묘토프가 앉아 있었다. 그는 손님이 들어오는 것을 보자, 엉덩이를 들썩하면서 반갑게 웃으며 맞이하였다. 뜻밖에도 자묘토프가 와 있는 것을 보자, 라스콜리니코프는 불쾌한 자극을 받았다.

'이 자식, 정말 조심해야겠는걸.'

그는 이렇게 생각하면서 가슴이 설레는 것을 느꼈다.

포르피리는 가운 속에다 깨끗한 와이셔츠를 받쳐입고, 실내화를 신은 채 간편한 옷차림으로 앉아 있었다. 그는 서른 대여섯 살쯤 되어 보이는 몸집이 작은 사나이로 아랫배가 약간 나와 있었다.

라즈미힌과 포르피리는 반갑게 손을 마주 잡고 인사말을 나누었다.

"여보게, 포르피리! 이 사람은 라스콜리니코프, 내 친구일세. 자네한테 볼일이 있다고 하기에 함께 찾아왔네."

자기에게 볼일이 있다는 말에 포르피리는 두 사람을 긴 의자로 안내하고 자기도 한쪽 끝에 걸터앉았다.

그리고 용건을 재촉하는 듯 기다리면서 유심히 라스콜리니코프를 바라보았다.

"라스콜리니코프, 빨리 이야기하게."

라즈미힌의 재촉을 받은 라스콜리니코프는 간단 명료하게 자기 용건을 설명하였다.

"그건 역시, 경찰에 신고했어야 할 걸 그랬소! 서류 같은 건 경찰이 만들어 주는데……."

포르피리는 지극히 사무적으로 대답하였다.

"저는 살인사건이 일어났다는 말을 들은 바가 있어서, 다만 전당 잡힌 제 물건을 찾고 싶은데, 저로서는 그것을……."

라스콜리니코프는 아주 난처한 표정을 지으며 말을 이었다.

"사실은 저는 지금 가진 돈이 없기 때문에……. 그러나 저, 현재로서는 다만, 그 물건이 내 것이긴 하지만 돈이 생겼을 때……. 찾고 싶다는 것만 신고해 둘까 합니다만……."

"그건 어느 쪽이든 마찬가지입니다."

포르피리는 냉담하게 흘려들으며 말했다.

"하지만 사정에 따라서는 직접 서면으로 제출하셔도 상관 없습니다. 그리고 그 서류는 내가 맡아 둬도 좋습니다."

"보통 용지라도 상관 없습니까?"

"예, 아무 용지라도 괜찮습니다."

포르피리는 이렇게 말하며 갑자기 눈을 가늘게 뜨고는, 라스콜리니코프를 건너다 보았다. 그것은 순간적이었지만 상대방을 조롱하는 것 같은 표정이었다.

'이 녀석은 알고 있군!'

라스콜리니코프는 번개처럼 상대방의 기분을 알아챘다.

"죄송합니다. 이런 일로 수고를 끼쳐 드려서. 그건 불과 5루블 정도

밖에 안 되는 것이지만, 제게는 둘도 없는 귀중한 것입니다."

당황한 라스콜리니코프는 더듬거리며 말했다.

"당신의 물건은 절대로 없어지지 않습니다. 나는 벌써부터 당신이 오기를 기다리고 있었지요."

잠시 생각에 잠겨 있던 포르피리가 낮은 소리로 말했다.

"뭐, 뭐라고! 기다리고 있었다고? 그럼, 자네는 이 친구가 노파에게 물건을 저당 잡힌 것을 알고 있었나?"

라즈미힌이 외쳤다. 그러나 포르피리는 그 물음에는 대답하지 않고, 이야기를 계속 하였다.

"당신의 반지와 시계는 종이에 싸인 채 노파의 방에 있었습니다. 그 종이에 당신의 이름이 연필로 쓰여 있더군요. 물건을 맡긴 날짜도 말이오."

"그랬었군요. 그런데 물건 잡힌 사람이 많아서 조사하기에 고생이 많았겠습니다."

"아니, 별로 힘들지 않았습니다. 모두들 스스로 경찰에 신고하러 와주어서요. 오지 않은 사람은 당신 한 사람뿐이었습니다."

"나는 말라리아성 열 때문에 몸이 좀 불편해서……."

"그것도 알고 있었습니다. 그런데 서장은 마차에 깔려 죽은 관리의 집에서 당신을 만났더군요."

"그래, 정말 이 친구 머리가 어떻게 된 건 아닌지! 가진 돈을 모두 털어서 장례식 비용에 쓰라고 내놓고 왔다네."

라즈미힌이 옆에서 걸걸한 목소리로 끼어들었다.

포르피리는 그 말은 못 들은 체하고 있다가 갑자기 생각난 듯,

"참, 당신의 논문을 기억하고 있소. 아마 '범죄에 대하여' 라는 제목이었지요?"

하고 라스콜리니코프에게 물었다.

"예? 제 논문이오?"

라스콜리니코프는 깜짝 놀라 말을 잇지 못했다. 그러는 그를 예심판사 포르피리의 차가운 눈이 지켜보고 있었다.

"그러고 보니 생각이 나는군요. 대학을 쉬게 되었을 때, 어느 신문사엔가 원고를 들고 간 기억이 있습니다."

라스콜리니코프는 지친 표정으로 고개를 끄덕였다.

"당신의 그 논문은 발표되었어요. 몰랐나요? 그럼, 당장 원고료를 청구하셔야 되겠군요."

"야! 이거 신나는 일인데. 라스콜리니코프, 오늘이라도 당장 도서관에 가서 그걸 빌려 보세. 거 참, 재미있군. 그래, 자네는 자네의 글이 실린 것도 몰랐단 말인가?"

라즈미힌은 경사라도 난 듯 떠벌렸다. 그러나 라스콜리니코프의 표정은 오히려 퉁명스러워져 있었다.

"그건 범죄를 저지르기까지의 범죄자의 심리상태를 살펴본 글이었지요. 아마, 그런 걸 썼던 것으로 기억되는데요!"

"그렇소. 그리고 범죄행위에는 반드시 병이 뒤따른다고 주장했지요. 특히 내 흥미를 끈 것은 그 논문의 마지막에 쓰여 있는 사상이었지요. 즉, 이 세상에는 범죄를 저지를 수 있는 사람, 아니 범죄를 저지를 수 있는 완전한 권리를 가지고 있는 어떤 종류의 사람들이 존재하며, 그런 사람들에게는 법률 따위는 있으나마나한 것과 같다……. 이렇게 주장하셨던 걸로 기억되는데요."

"뭐라고? 범죄를 저지를 수 있는 권리라니!"

라즈미힌은 무언가 불길한 예감에 사로잡힌 사람처럼 소리를 질렀다.

"이 사람의 논문에 따르면, 모든 사람은 평범한 사람과 비범한 사람으로 나누어진다는 거야. 이것이 중요한 점이지.”

포르피리는 라즈미힌에게 설명을 한 다음, 다시 라스콜리니코프에게 말문을 돌렸다.

“범인은 세상의 모든 규칙에 따라 생활하지 않으면 안 되며, 물론 법률을 무시할 권리도 없다. 하지만 비범한 사람은 태어날 때부터 비범하게 태어난 인간이므로 온갖 범죄를 저질러도 좋으며, 법률을 무시할 권한이 있다……. 라스콜리니코프 씨, 틀림없이 이런 사상이었지요?”

라스콜리니코프는 씨익 웃었다. 상대방이 무엇을 노리고 있으며, 자기에게 어떻게 올가미를 씌우려 하는지 깨달았기 때문이었다. 그래서 그는 용감하게 그 도전을 받아들였다.

“그 논문에서 내가 말하고 싶었던 것은, 반드시 포르피리 씨 해석대로가 아닙니다. 약간 의미가 다릅니다. 나는 이렇게 생각하고 있어요. 만일, 케플러나 뉴턴의 발견이 한 사람이 아닌 열 사람, 또는 백 사람에게 방해를 받았다고 가정해 봅시다. 그런 경우, 케플러나 뉴턴은 자기의 발견을 전 인류에게 알리기 위해 그들의 방해자가 열이든 백이든 제거할 권리를 가지고 있습니다. 아니, 제거할 의무를 지니고 있다고 말하는 편이 더 적당할지 모르겠군요. 그렇다고 해서 닥치는 대로 살인을 하거나 도둑질을 할 권리를 가졌다는 뜻은 절대 아닙니다.”

라스콜리니코프의 얼굴에는 상대방을 설득하려고 하는 진지한 노력이 엿보였다.

케플러는 독일 사람으로 혹성에 관한 세 가지 법칙을 발견한 사람이며, 뉴턴은 영국 사람으로 만유인력을 발견한 사람이다.

그는 말을 이었다.

“내 기억으로 논문은 이렇게 계속되었던 걸로 압니다. 마호메트나 나폴레옹은 인간이 오랫동안 지켜 내려온 법률을 아주 간단히 무너뜨리고 새 법률을 만들었다. 만일 범죄의 테두리 안에서 그들을 본다면 이 한 가지 일만으로도 그들은 훌륭한 범죄자이다. 아마 그렇게 되어 있지요? 포르피리 씨! 여기서 분명히 말해 둡니다만, 난 자신을 마호메트나 나폴레옹이라고 생각하고 있는 건 아닙니다.”

“아니, 그런 말 마십시오. 오늘날 우리 러시아에서 자기를 나폴레옹이라고 생각하지 않는 자가 어디 있습니까?”

포르피리가 갑자기 몹시 친숙한 태도를 보이며 말하였다. 그 때, 옆에서 잠자코 듣고 있던 자묘토프가 불쑥 말하였다.

“지난 주에 전당포 노파를 도끼로 죽인 것은 그 미래의 나폴레옹 같은 자의 소행 아닐까요?”

라스콜리니코프는 그 말은 들은 체도 하지 않고 말없이 포르피리의 얼굴을 쳐다보았다. 그러다가 그는 갑자기 자리에서 일어났다.

“벌써 돌아가시겠습니까? 이렇게 알게 되어 무척 기쁩니다. 부탁하신 일은 아무 염려 마십시오. 그런데 며칠 후에 우리 사무실에 들러 주시겠습니까? 아니, 내일이 좋겠군요. 할 이야기도 좀 있고, 당신은 그 전당포의 마지막 손님이니까요.”

정답게 손을 내밀면서 포르피리가 상냥하게 말하였다.

“당신은 나를 정식으로 취조할 작정입니까?”

“무엇 때문에요? 현재로서는 전혀 그럴 필요가 없습니다. 당신은 오해를 하고 계시는군요. 하기야, 나는 결코 기회를 놓치거나 하지는 않습니다만.”

“그렇다면 꼭 내일이 아니라도 될 텐데요.”

“아니, 그냥 잠깐……. 실례지만 당신이 노파에게 간 것은 7시가 지나서였다고요?”

"그렇습니다."

"그 때 당신은 계단을 올라가면서 문이 활짝 열려 있는 2층의 한 방에서 두 사람의 칠장이, 아니 한 사람이라도 보지 못했습니까?"

"칠장이! 전혀 보지 못했는데요."

라스콜리니코프의 말이 채 끝나기도 전에 옆에서 라즈미힌이 참다 못하여 소리쳤다.

"이봐, 자넨 도대체 무슨 소리를 하고 있는 거야? 칠장이가 일을 하고 있었던 건 바로 사건 당일이야. 자네가 그 곳에 간 것은 사흘 전이 아니었던가? 정신 차리게!"

그러자 포르피리는,

"아이고, 이거 뒤죽박죽이 되어 버렸구면!"

하고 머리를 툭툭 쳤다.

"그렇다면 좀더 조심해서 말하라고!"

라즈미힌이 얼굴을 찡그리면서 포르피리에게 주의를 주었다. 포르피리는 얼른 일어나서 지극히 상냥한 태도로 두 사람을 문 밖까지 전송해 주었다.

거리에 나온 두 사람은 곧 헤어졌다.

혼자가 되자, 라스콜리니코프는 길게 한숨을 내쉬었다.

사람 백정

라스콜리니코프가 하숙집에 당도하였을 때는 관자놀이에 진땀이 배어 있었다. 숨결도 몹시 고르지 못하였다. 그는 성급하게 계단을 올라가 활짝 열려 있는 방문을 닫아걸었다.

그는 생각에 잠긴 채 우뚝 서 있었다. 그러다가 마침내 모자를 집어들고 밖으로 나갔다.

"저기 오는 저 사람이오!"

큰 소리가 들렸다.

라스콜리니코프는 고개를 들었다.

문지기가 누군지 모르는 작달막한 사나이를 보고 정면으로 라스콜리니코프를 가리키며 말하였다. 사나이는 가운 비슷한 옷에 조끼를 입었는데, 언뜻 보기에 장사꾼 같은 인상을 주었다.

"왜 그러나?"

라스콜리니코프는 문지기 옆으로 다가서면서 물어 보았다.

사나이는 그가 있는 쪽을 별로 급한 일도 없다는 듯이 유심히 바라보았다. 그리고 천천히 문을 나서서 거리로 나갔다.

"뭔지 모르지만 저 사람이 당신 이름을 대면서 여기 이러이러한 학생이 있느냐, 어느 집에 하숙을 하고 있느냐, 하고 꼬치꼬치 물었습니다. 그런데 마침 당신이 내려왔습니다. 그래서 내가 가르쳐 주었더니 그냥 가 버리는 겁니다. 정말 뭐가 뭔지 모르겠습니다."

라스콜리니코프는 그 사나이를 뒤쫓아갔다. 그는 곧 그 사나이를 따라잡았다.

"당신, 어째서 나를 찾았소? 문지기한테 들었소만."

그 사나이는 대답은커녕 돌아보지도 않았다.

"당신은 도대체 누구요? 사람을 찾아 놓고 한마디 말이 없다니……."

그 때서야 사나이는 어둡고 텁텁한 눈초리로 라스콜리니코프를 훑어보았다.

"사람 백정!"

그 사나이는 느닷없이 낮지만 명확한 목소리로 말하였다.

"뭐라고! 뭐 어째? 누가 사람 백정이야?"

라스콜리니코프는 겨우 알아들을 만한 목소리로 말을 하였다.

"네가 사람 백정이란 말이야!"

그 사나이는 더욱 또렷하게 말하고, 다시 라스콜리니코프의 창백한 얼굴을 쏘아보았다. 라스콜리니코프의 눈은 마치 죽은 사람 같았다.

두 사람은 이 때 네거리에 당도하였다. 그 사나이는 왼쪽으로 꺾어지더니 본 체 만 체하고 걸어갔다.

라스콜리니코프는 그 자리에 멈춰 서서 오랫동안 그 사나이의 뒷모습을 지켜보았다. 사나이는 쉰 걸음쯤 걸어가더니 문득 뒤를 돌아보았다.

확실히 분간할 수는 없었지만, 그 사나이는 승리의 미소를 짓고 있는 것 같았다.

라스콜리니코프는 공포에 질린 나머지 지친 걸음걸이로 무릎을 후들후들 떨면서 하숙집 자기 방으로 올라갔다.

그는 모자를 벗어서 책상 위에 놓고, 한 10분 정도 꼼짝 않고 서 있었다. 그러다가 완전히 기력을 잃고는 긴 의자 위에 쓰러졌다.

라스콜리니코프는 가냘프게 신음소리를 내면서 괴로운 듯 다리를 뻗었다. 그리고 눈을 감은 다음 30분쯤 그대로 누워 있었다.

"그 작자는 도대체 누구란 말인가? 땅 속에서 솟아났단 말인가? 그 작자는 도대체 어디서 무얼 봤단 말인가? 그 작자는 모든 것을 다 보았다는 이야기인가! 틀림없어, 그런데 도대체 어디서 어떻게 보았다는 말인가? 어째서 이제야 나타났을까? 마치 마루 밑에서 솟아 나온 것처럼 느닷없이 나타나다니! 그럴 수도 있을까? 흠……."

그는 절망한 나머지 중얼거리고는, 그만 의식을 잃고 말았다.

그는 어느 틈에 어떻게 길가에 나와 서 있는지, 전혀 기억이 없는 것이 이상하게 느껴졌다.

이미 저녁이 다 되었다. 황혼이 짙어가고 둥그런 달이 시시각각으로 빛을 더해가고 있었다. 하지만 어떻게 된 것인지 공기는 더욱 무겁기만 하였다.

라스콜리니코프는 서글픈 듯 수심에 잠겨 걷고 있었다. 그런데 그 사나이는 어찌된 셈인지 획 돌아서더니 전혀 아무 일 없는 것처럼 고개를 숙인 채 걸어가고 있었다.

사나이는 뒤도 돌아보지 않고 아무 일도 없다는 듯 태연하였다.

'가만 있자, 저 사나이가 정말 나를 부른 것일까?'

라스콜리니코프는 이런 생각도 들었지만, 그래도 그대로 뒤따라 가 보았다. 그러나 불과, 몇 걸음도 못 가서 그 사나이를 알아 보고는 소름이 끼쳤다.

그 사나이는 역시 조금 전에 보았던 그 장사꾼이었다.

사나이는 어느 커다란 집 대문 안으로 들어갔다. 라스콜리니코프도 곧 그 문 안으로 따라 들어갔다. 그런데 그 집 안마당에는 이미 그 사나이의 자취는 사라지고 없었다.

그러고 보니 사나이는 마주 보이는 계단으로 올라갔음이 분명하였다. 라스콜리니코프는 곧 그 뒤를 따랐다.

그러자, 역시 2층쯤 되는 위층에서 또박또박 걸어가는 발소리가 들려왔다.

달빛이 유리창 너머로 비쳐들었다.

'오, 이제 2층이구나! 아니, 여긴 칠장이가 칠을 하고 있던 그 집이 아닌가?'

앞서가는 사람의 발소리는 잠잠해졌다.

'오, 벌써 3층이구나! 왜 이리 어두울까?'

그렇지만 그는 자꾸만 앞으로 갔다. 사나이는 이 집 어딘가에 숨어 있는 것이 분명하였다.

그 순간, 조그만 장과 창문 사이 벽에 걸려 있는, 부인용 외투가 눈에 띄었다. 그는 조심조심 외투를 한쪽으로 몰아놓고, 거기에 의자가 하나 놓여 있는 것과 그 의자 한쪽 끝에 노파가 앉아 있는 것을 보았다.

노파는 몸을 완전히 꼬부리고 고개를 푹 숙이고 있어서 아무래도 얼굴을 알아보기 힘들었다. 그러나 자세히 보니 그 노파는 전당포 노파가 분명하였다.

그는 잠시 노파 앞에 서 있었다.

'겁내고 있군!'

그는 이렇게 생각하며 조용히 도끼를 빼들고 노파의 정수리를 내리쳤다.

한 번, 두 번, 그런데 야릇하게도 노파는 타격을 받으면서도 전혀 꼼짝하지 않았다.

라스콜리니코프는 섬뜩해서 더욱 가깝게 몸을 굽히고, 노파를 이리저리 살펴보았다.

그러자 노파는 역시, 더욱더 깊숙이 고개를 숙였다. 그래서 그는 마룻바닥에 닿도록 완전히 몸을 굽히고, 밑에서 노파의 얼굴을 들여다보았다. 노파는 의자에 앉은 채 웃고 있었다. 조용하고 소리 없이 웃고 있었다.

침실 문이 빠끔히 열리자 많은 사람들이 거기에서 웃고 있는 것도 같고, 쑥덕거리는 것 같기도 했다.

그는 다시, 힘껏 노파의 머리를 때리기 시작하였다. 그런데 도끼로 내리칠 때마다, 웃음소리와 쑥덕거리는 소리는 더욱 높고 명확해졌다. 노파도 몸을 흔들어 대면서 웃고 있었다.

그는 도망치려고 하였다. 하지만 입구에는 언제 와 있었는지 사람들이 모여 있었다. 눈길 닿는 데마다 사람들의 머리가 우글우글하였다.

그리고 그들은 하나같이 이쪽을 보고 있었다. 그는 가슴이 답답하고 다리는 뿌리가 박힌 듯 움직이지 않았다. 소리를 치려고 무진 애를 썼다. 그러다가 눈을 번쩍 떴다.

그는 괴로운 듯 숨을 몰아쉬었다. 문이 활짝 열려 있었고, 문지방에는 전혀 낯모르는 한 사나이가 서서 그를 빤히 지켜보고 있었다.

10분쯤 시간이 흘렀다.

아직 어둡지는 않았지만 해질 녘이 가까웠다. 방 안은 고요하기 이를 데 없었다. 계단 쪽에서는 아무 소리도 들려오지 않았다.

라스콜리니코프는 벌떡 일어나 앉았다.

"당신은 누구시오? 어서 말해 보시오. 당신은 도대체 내게 무슨 볼일이 있소?"

"아니 뭐, 나는 당신이 자고 있는 것이 아니라, 다만 자는 체하고 있다는 걸 다 알고 있었지요."

낯선 사나이는 태연하게 웃으면서 이상한 사투리로 대답을 하였다.

"나는 아르카지 이바노비치 스미드리가일로프라고 합니다."

'음, 이 자가 바로 두냐가 가정교사로 들어가 있던 집의 주인이구나!'

라스콜리니코프는 긴장이 되어 자세를 고쳐앉았다.

다시 찾아온 사람

'내가 아직 꿈을 꾸고 있는 것이 아닐까?'

라스콜리니코프는 다시 한 번 생각했다. 그리고 수상쩍은 눈으로 이 뜻하지 않은 손님을 조심스럽게 바라보았다.

"저는 두 가지 용건이 있어서 찾아왔습니다. 첫째는 당신에 대한 흥미로운 소문을 들은 터라 한번 뵙고 싶었고, 둘째로는 당신의 누이동생 두냐와 직접 이해 관계가 있는 어떤 계획에 대해서, 어쩌면 당신께서도 저를 도와줄지 모르겠다고 생각했기 때문이지요. 대충 이런 속셈으로 왔습니다."

"그건 잘못 생각하신 겁니다."

라스콜리니코프는 그의 말을 가로막았다.

"제가 과거에, 자기 집에서 버림받은 아가씨의 꽁무니를 귀찮게 쫓아다니면서 '부당한 청을 해서 그 아가씨를 모욕했다.' 그런 말씀이군요. 그렇죠? 분명히! 그런데 말입니다. 우선 당신은 나도 인간이라는 사실을 조금 생각해 주셔야 하지 않을까요?"

"아니, 그런 건 문제가 아니지요."

라스콜리니코프는 노골적으로 혐오의 빛을 띠고 말하였다.

"나는 다만, 당신이 마음에 들지 않는다는 것뿐입니다. 당신이 옳든 그르든 나는 당신과 사귀고 싶지도 않다는 것입니다. 어서 돌아가십시오."

스미드리가일로프는 갑자기 큰 소리로 외쳤다.

"아니, 당신도 보통이 아니군요. 당신은 속일 수 없군!"

"그 정원에서의 일만 없었더라면, 불쾌한 일 같은 건 없었을 겁니다. 도대체 내 아내가……."

"당신의 부인만 하더라도, 역시 당신이 죽였다던데요?"

라스콜리니코프는 난폭하게 그의 말을 가로막았다.

"아, 당신도 벌써 그 이야길 들으셨군요! 하지만 그건 잘못 알고 계시는 겁니다. 그 일은 지극히 명백한, 아무 의심도 할 수 없는 상태에서 일어난 일이었으니까요. 시체를 부검한 의사도, 술을 한 병이나 마신 데다가 밥까지 잔뜩 먹고 바로 물에 들어갔기 때문에 일어난 뇌일혈이라고 진단을 내렸으니까요."

라스콜리니코프는 초조해하면서 말했다.

"어서 용건이나 말해 보십시오. 나는 좀 바쁜 일이 있어서요. 잠깐 나갈 데가 있어요!"

"알겠습니다. 예, 알겠습니다. 그런데 당신 누이동생은 루진 씨와 결혼하기로 되어 있죠?"

"누이동생에 관한 문제는 좀 피해 주실 수 없나요? 나는 당신이 내 앞에서, 어쩌면 그렇게도 태연하게 내 누이동생 이름을 부를 수 있는지 놀라울 뿐입니다. 당신이 정말 스미드리가일로프, 그 사람이라면……."

"하지만 나는 그 분 이야기를 하러 온 것이니, 이름을 안 부를 수 있겠습니까?"

"좋습니다. 빨리 말씀하십시오. 하지만 되도록 빨리!"

"그 루진 씨는 두냐와 어울리는 짝이 못 됩니다. 내 생각으로는 이번 처사는 두냐가, 저기……. 자기 가족을 위해 자신을 희생하려는 것이 분명합니다. 그래서 저는 지금 당신을 통해서, 두냐와 한번 만나고 싶습니다. 그리고 제일 먼저 두냐에게 말하고 싶은 것은, 루진 씨와의 결혼은 손톱만큼의 이익을 얻을 수도 없을 뿐만 아니라, 도리어 손해를 볼 것이라는 이야기를 해주고 싶습니다. 그리고 지금까지 있었던 불쾌했던 일에 대해서 사과를 드리고, 또 허락만 해준다면 제가 1만 루블을 드리고 싶습니다."

"당신은 정말 미쳤군요."

라스콜리니코프는 화가 난다기보다 오히려 어이가 없어서 이렇게 외쳤다.

"어떻게 그런 말씀을 하십니까?"

"아니, 당신한테 호통을 듣는 것쯤은 나도 각오하고 있었습니다. 하지만, 첫째로 나는 특별한 부자는 아니지만, 1만 루블은 놀고 있는 돈입니다. 만일 두냐가 받아 주지 않는다면, 필경 저는 더 헛된 일에 그 돈을 써 버리고 말겠지요. 둘째로 제가 이 돈을 드리겠다는 데에는 별다른 뜻이 있는 게 아닙니다. 언젠가는 당신이나 두냐도 알아 주시리라 믿습니다. 어쨌든 부디, 두냐에게 전해 주시기를 바랍니다."

"아니오, 그건 거절하겠습니다."

"그렇게 말씀하신다면, 저는 부득이 무리를 해서라도 만날 기회를 만들어야 하니 쓸데없는 걱정을 끼치는 결과가 될 것입니다."

"그러면 내가 전하기만 하면, 당신은 무리하여 만나자고 하시지 않을 거죠?"

"글쎄, 뭐라고 말씀드려야 좋을지. 아무튼 꼭 한번 만나 뵙고 싶습니다. 진심으로 부탁합니다. 그럼 이제 그만……. 참, 그렇지! 하마터면 잊어버릴 뻔했군. 부디 두냐에게, 내 아내가 3천 루블을 드리도록 유언했다는 것을 전해 주십시오. 그녀가 죽기 1주일 전에 이런 일을 처리 했던 겁니다."

"정말입니까?"

"정말이고말고요. 꼭 전해 주십시오. 그럼 실례합니다. 나는 현재 이 근처에 묵고 있습니다."

스미드리가일로프는 밖으로 나갔다. 그 때 마침 그는 라스콜리니코프를 찾아오는 라즈미힌과 마주쳤다.

벌써 8시가 되었다.

라스콜리니코프와 라즈미힌은 두냐와 어머니가 묵고 있는 여관으로 향했다.

"여보게, 도대체 저 사람은 누군가?"

라즈미힌은 거리로 나서자 곧 이렇게 물었다.

"그 자는 스미드리가일로프란 자야. 가정교사로 가 있던 두냐를 모욕한 그 집 주인이야. 저 자가 추근대며 따라다녔기 때문에, 두냐는 저자의 부인 마르파 페트로브나에게 쫓겨나, 그 집을 나오게 되었던 거야. 그 여자는 그 뒤에 두냐에게 사과를 했는데, 이번에 갑자기 죽어 버렸어. 그 자한테서 두냐를 지켜 줘야 할 텐데……."

"지킨다고? 그따위 작자가 두냐에게 무슨 일을 한다는 건가? 좋아, 좋아, 지켜 주고 말고!"

두 사람은 복도에서 루진과 마주쳤다.

루진은 8시 정각에 와서 방을 찾고 있었으므로, 세 사람은 나란히 방으로 들어갔다.

그러나 서로 얼굴도 보지 않고 인사도 하지 않았다.

루진은 방으로 들어서자 제법 친절하였으나, 어딘지 모르게 불쾌한 표정으로 인사를 하였다. 어머니 역시 어딘지 어색한 표정으로, 주전자의 물이 펄펄 끓고 있는 둥근 탁자의 주위에 모두를 둘러앉게 하였다.

두냐와 루진은 탁자를 사이에 두고 마주 앉았다. 라즈미힌과 라스콜리니코프는 어머니와 마주 앉게 되었다.

라즈미힌은 루진 앞에, 라스콜리니코프는 두냐 옆자리에 앉게 된 셈이었다.

루진은 향수 냄새가 나는 비단 손수건을 천천히 꺼내들고 아주 점잖은 몸짓으로 말을 꺼냈었다.

"오시는 길에 별로 불편한 점은 없었습니까?"

그는 새삼스럽게 정색을 하고 어머니를 향하여 말하였다.

"예, 덕분에 별일 없었습니다."

"다행입니다. 두냐 양도 별일 없으시지요?"

"저는 젊고 건강해서 괜찮습니다만, 어머니는 몹시 피곤하셨던 것 같아요."
두냐가 대답하였다.

"마르파 페트로브나가 돌아가셨답니다. 당신께서도 들으셨는지요?"
어머니가 말문을 열었다.

"듣고말고요. 이번만 해도, 스미드리가일로프가 부인의 장례식이 끝나자 곧 서둘러서 페테르스부르크로 달려온 사실을 알려 드리려고 온 것입니다."

"페테르스부르크요? 정말 이 곳으로요?"
두냐가 불안한 듯이 어머니의 눈치를 살폈다.

"아니, 그 사람은 또 여기서도 두냐를 괴롭히려는 게 아닐까요?"
어머니는 근심스러운 듯이 말하였다.

"루진 씨, 제발 부탁입니다."
두냐가 말하였다.

"스미드리가일로프 씨 이야기는 그만두실 수 없을까요?"

"그 사람이 조금 전에 나에게 왔더군!"
라스콜리니코프가 불쑥 말하였다.

"한 시간 반쯤 전이었어. 내가 자고 있는 방으로 들어와서 나를 깨우고는 자기 소개를 하더군. 그 작자는 너를 만나고 싶어하더라. 너에게 뭔가 청이 있다면서, 그리고 그의 부인이 죽기 1주일 전에, 너에게 3천 루블을 남기고 갔다는 이야기도 하더라. 두냐, 그 돈은 머지않아 네 손에 들어올 거라고 하더구나."

"아니, 그게 정말이냐?"
어머니는 성호를 그으면서 소리를 질렀다.

"그 분을 위해 기도하거라, 두냐. 그건 그렇고 도대체 뭐냐? 그 분의 청이라는 게!"

"그건 나중에 말할게요."

라스콜리니코프는 입을 다물고 찻잔으로 손을 가져갔다.

루진과의 결별

피오트르 페트로비치 루진은 시계를 꺼내 보았다.

"나는 볼일이 있어서 가야겠습니다. 그리고 또 방해가 될 것 같아서……"

그는 약간 비꼬는 듯한 얼굴로 이렇게 말하고, 의자에서 일어서려고 하였다.

"잠깐만 기다려 주세요. 루진 씨."

두냐가 말했다.

"당신은 오늘 밤 천천히 계시다가 가실 작정이었잖아요? 그리고 당신은 우리 어머니께 무슨 하실 말씀이 있다고 했잖아요."

"그건 그렇습니다."

다시 의자에 앉으며 루진은 위압적인 목소리로 말하였다.

"나는 당신과 어머님, 두 분께 마음을 털어놓고 조용히 이야기하고 싶었습니다. 아주 중요한 일에 대해서 말입니다. 하지만 당신 오빠께서, 내가 이 자리에 있어서 스비드리가일로프 씨의 제안이라는 것에 대해 이야기할 수 없는 것과 똑같은 이유로, 나도 딴 사람 앞에서는 아주 중요한 이야기는 하고 싶지 않고, 또 할 수도 없습니다. 그리고 첫째로, 그토록 굳게 당부한 제 부탁이 실천되지 않았으니 말입니다."

루진은 쓸쓸한 표정으로 몸을 뒤로 젖힐 듯하며 입을 다물었다.

"우리 모임에 오빠를 참여시키지 말라는 당신의 말에 따르지 않은 건 오직 제 고집에서였습니다."

두냐가 말했다.

"당신은 오빠한테 모욕당했다고 말씀하셨죠. 그래서 저는 생각했습니다. 이런 일은 한시라도 빨리 화해를 하지 않으면 안 되겠다고. 그리고 만일 오빠가 당신을 모욕했다면, 오빠는 당신께 사과하지 않으면 안 되고, 또 반드시 사과하리라고 생각합니다."

루진의 얼굴에 갑자기 생기가 도는 것 같았다.

"두냐, 이 세상에는 아무리 선의로 생각해도 잊어버릴 수 없는 모욕이 있답니다."

"좀 너그럽게 생각해 주세요. 우리의 장래는 두 분이 화해가 되느냐 안 되느냐에 달려 있는 게 아니겠어요?"

"정말 놀랍습니다, 두냐!"

루진은 더욱 초조해하였다.

"나는 당신을 존경하지만, 동시에 당신 가족의 누군가를 아무리 애써도 좋아할 수 없는 건 얼마든지 있을 수 있는 일이 아닐까요?"

"제발 좀 너그럽게 생각해 주세요. 이제 만일 두 분이 화해를 하지 않으신다면, 저는 당신과 오빠 두 분 중 어느 한 분을 선택하지 않으면 안 됩니다. 당신이냐, 오빠냐, 둘 중 하나이지요."

루진은 강한 태도로 말했다.

"이래도 화해의 가능성이 있을까요? 나는 이미 이것으로 모든 이야기는 다 끝났다고 생각합니다. 더 이상 가족간의 상면의 기쁨이나 비밀 이야기를 방해하지 않기 위해, 저는 이만 물러가겠습니다. 하지만, 한마디만 더 하겠습니다. 저는 말입니다. 다시는 이런 타협은 사양하도록 하겠습니다. 특히 당신께는 이 점을 부탁드리고 싶습니다."

루진은 어머니 쪽을 정면으로 바라보면서 말하였다.

그 말에 어머니도 더 이상 참을 수가 없었다.

"당신은 우리를 마치 노예처럼 여기고 계시는군요. 왜 당신 말씀대로 따르지 않았는지는 이미 두냐가 말씀드렸습니다. 이 아이는 좋은 생각을 가지고 있었습니다. 그렇다면 우리는 당신의 말이라면 무엇이든지 하나도 빼놓지 말고 명령처럼 따라야 합니까? 그렇지 않아도, 우리는 이미 모든 것을 당신의 권력에 복종하고 있는 것이나 다름없지 않습니까?"

"아니지요, 절대 그렇다고는 할 수 없지요. 더구나 이 순간, 마르파 피트로브나의 유언에 따른 3천 루블이라는 유산 이야기가 나오고부터는 말입니다."

그는 가시 돋친 말투로 계속 말을 이었다.

"스미드리가일로프의 비밀 제안의 전달을 방해하고 싶지도 않고 말입니다. 그 이야기는 아마 당신께도 중대한, 어쩌면 매우 기쁜 의미를 지니고 있는 것인지도 모르니까요."

"어머나, 그런 말을. 어쩌면 그런 말을!"

어머니가 외쳤다.

"두냐, 넌 이래도 창피하지 않으냐?"

라스콜리니코프가 물었다.

"창피해요, 오빠!"

두냐는 말했다.

"피오트르 페트르비치, 어서 나가 주세요!"

그녀는 분함을 이기지 못하여 창백해진 얼굴을 루진 쪽으로 돌렸다.

루진 역시 이런 결과를 가져오리라고는 꿈에도 생각지 못한 듯했다. 그는 지나치게 자기 권력에 희망을 가지고 있었던 것이다. 그래서 사태가 이쯤 되어 버린 지금에 와서도, 아직 그것이 믿어지지가 않았다.

"두냐, 내가 지금 이런 꼴로 이 방을 나가 버린다면, 이제 두 번 다시 돌아오지 않을 겁니다. 잘 생각하십시오!"

두냐는 재빨리 일어서면서 소리쳤다.

"저도 당신이 돌아오길 바라지 않습니다."

"뭐라고요? 아아, 그렇습니까?"

루진은 최후의 순간까지도 이런 결과를 믿으려 하지 않았다. 그렇기 때문에 이제는 전혀 희망이 없다고 생각하였다.

루진은 잠시 동안 분을 참지 못해 얼굴이 창백하게 일그러졌다. 그러다가 홱 몸을 돌려 나가 버렸다.

나갈 때, 그의 몸은 분노로 떨렸고 그 눈빛은 미움으로 이글거렸다.

"아아, 내가, 내가 나빴어요."

두냐는 어머니를 끌어안고 볼을 비비며 말하였다.

"나는 그 사람의 돈에 눈이 어두웠던 거예요. 좀더 일찍 그 사람의 인격을 알았더라면, 절대로 이런 일은 없었을 거예요. 오빠, 제발 나를 나무라지 마세요!"

"하느님이 널 구해 주신 거야!"

옆에 있던 어머니가 무의식중에 중얼거렸다.

잠시 후, 모두들 기분을 회복하고 즐거운 이야기를 주고받았다.

그런데 단 한 사람, 라스콜리니코프는 의자에 앉은 채 여전히 불쾌한 듯 미간을 찌푸리고, 허탈한 모습으로 있었다.

"스미드리가일로프 씨는 오빠에게 뭐라고 말했어요?"

두냐는 그의 옆으로 다가갔다.

"그 자는 말이야. 어떻든 네게 1만 루블을 주겠다고 그러더라. 그리고 너를 꼭 한번 만나고 싶다더라."

"만나고 싶다고? 어떤 일이 있더라도 그건 안 된다!"

어머니가 소리쳤다.

"어쩌면 그렇게 뻔뻔스러우냐. 이 아이에게 돈을 주고 싶다는 말이 입으로 나온단 말이냐?"

"그래서 오빠는 뭐라고 대답했어요?"

두냐가 물었다.

"처음에는 너에게 말을 전해 줄 수 없다고 했지. 그랬더니 그는 어떤 수를 써서라도, 직접 너를 만날 기회를 만들겠다고 하는 거야. 그 사나이는 너를 루진에게 보내고 싶지 않다는 거야. 어쨌든 뭔가 애매한 이야기더라."

두냐는 스미드리가일로프의 제안에 몹시 충격을 받은 모양이었다. 그녀는 생각에 잠기면서, 한동안 그대로 서 있었다.

"그 사람은 분명히 뭔가 또 무서운 일을 생각해 낸 거예요!"

두냐는 몸을 떨다시피 하며 혼잣말로 중얼거렸다.

"어쩐지 나는 네가 또 그 사나이와 가끔 만나게 될 것만 같은 느낌이 든단다."

라스콜리니코프는 두냐를 바라보며 말하였다.

"우리, 그 자를 조심합시다."

라즈미힌이 듬직하게 말했다.

"로쟈가 아까 제게 부탁했습니다. '두냐를 보호해 주게.' 하고요. 당신도 허락해 주시겠죠. 두냐?"

두냐는 웃으면서 그에게 손을 내밀었다.

그러나 괴로운 빛은 아직도 그 얼굴에서 사라지지 않았다. 어머니는 가끔 조심스럽게 딸의 눈치를 살폈다. 그렇기는 하지만, 3천 루블이라는 돈은 분명 그녀를 안심시켰다.

어머니와 누이동생과 작별

그런 일이 있고 얼마 후에는 모두 활기 띤 대화를 주고받았다.

라스콜리니코프는 자신은 입을 열지 않았지만, 오고가는 대화에 잠시 동안 열심히 귀를 기울이고 있었다.

라즈미힌은 열변을 토하고 있었다.

"무엇보다도 중요한 것은, 당신들이 이 곳에 같이 계셔야 합니다. 그리고 제발 저를 친구로 대해 주십시오. 그리고 뭔가 좋은 일을 시작해 봅시다. 실은 오늘 아침에 문득 생각이 떠오른 겁니다만, 제게는 백부가 한 분 계십니다. 돈을 한 1천 루블쯤 가지고 계시는데, 자기한테는 남는 돈이니까 그 돈을 저보고 쓰라는 겁니다. 그래서 저는 그 돈을 빌리기로 결심했습니다. 당신들께서도 3천 루블 중에 1천 루블만 제공해 주십시오."

"아니, 로쟈! 벌써 가려고?"

어머니가 깜짝 놀라 물었다.

"이렇게 중요한 때에!"

라즈미힌이 외쳤다.

두냐는 놀란 얼굴로 오빠를 바라보았다. 그의 손에는 모자가 들려 있었다. 그는 밖으로 나갈 채비를 하고 있었던 것이다.

"어째 모두들 마치 나를 장송이라도 하듯이, 아니면 모두 영원한 작별을 고하는 것처럼 대하는군!"

그는 웃는 것 같았으나 그 웃음은 아무래도 미소 같지는 않았다.

"하긴 우리가 만나는 것도 이게 마지막일지도 모르지……."

그는 지나가는 말을 하듯 하였다.

이 말은 그가 마음속으로만 생각했던 것이었으나, 어쩌다가 입 밖으로 불쑥 나오고 말았다.

그는 괴롭고 무거운 눈길로 두냐를 바라보았다.

"아무것도 아니야. 또 올게. 종종 들르겠다!"

그는 마치 자기가 무슨 일을 하고 있는지도 의식하지 못하는 듯이 나직한 목소리로 중얼거렸다. 그러고는 방에서 나가 버렸다.

"어쩌면 저렇게도 냉혹한 이기주의자일까요!"

두냐는 악을 쓰듯 말했다.

"저 녀석은 돌았습니다. 냉혹한 게 아닙니다. 저 녀석은 정신이 돈 겁니다. 당신은 그걸 모를 겁니다. 그런 말씀을 하시면 당신이야말로 냉혹한 사람이 됩니다."

라즈미힌은 두냐의 손목을 꼭 잡으면서, 그 귀에다 입을 갖다대고 열띤 목소리로 속삭였다.

"곧 다녀오겠습니다."

라즈미힌은 송장처럼 축 늘어져 있는 어머니에게 말을 하고 밖으로 나갔다.

라스콜리니코프는 복도 끝에서 그를 기다리고 있었다.

"자네가 달려나올 줄 알고 있었네."

그는 말하였다.

"방으로 다시 들어가 그들과 함께 있어 주게. 내일도 와 주고, 그리고 영원히! 언제까지나! 나는 틈이 나면 또 올 테니까. 그럼, 이만 가네!"

그는 손도 내밀지 않고 그냥 걸어나갔다.

"자네, 도대체 어딜 가는 거야? 뭐가 어쨌다는 건가, 도대체! 자네에게 도대체 무슨 일이 일어났다는 건가? 그래, 어떻게 이럴 수 있나?"

어쩔 줄 몰라하며 라즈미힌은 중얼거렸다.

라스콜리니코프는 잠시 걸음을 멈추었다.

"결코 아무것도 나에게 묻지 말아 줘. 나는 자네한테 할 말이 없어. 나한테 오지 말아 주게. 어쩌면 내가 돌아올지도 모르지만, 나를 그냥 내버려 두란 말일세. 그러나 우리 가족들은 내버려두지 말고 잘 돌봐 주게."

복도는 어둠침침하였다. 그들은 램프 옆에 서 있었다. 그들은 아무 말도 없이 서로 바라보고만 있었다. 라즈미힌은 일생을 두고, 이 순간을 잊을 수 없었다.

라스콜리니코프의 불타는 듯한 눈길에는 시시각각으로 힘이 넘쳐서, 라즈미힌의 넋을 꿰뚫어 보는 듯한 느낌이 들었다.

라즈미힌은 갑자기 전신이 오싹해졌다. 뭔가 이상한 기운이 두 사람 사이를 스치고 지나간 것 같았다. 라즈미힌은 죽은 사람처럼 얼굴이 창백해졌다.

"이제는 다 알겠지?"

라스콜리니코프는 갑자기 병적으로 얼굴을 일그러뜨리며 말하였다.

"돌아가 줘. 그들한테로 돌아가 주게."

그는 갑자기 이렇게 말하고는, 재빨리 몸을 돌려 밖으로 나가 버렸다.

라스콜리니코프는 그 길로 개울가에 있는 소녀의 집을 향해 걸어갔다.

그 집은 3층으로 된 푸른 색의 낡은 집이었다. 뒤뜰 한구석에서 비좁고 어둠침침한 계단 입구를 발견하고, 간신히 2층으로 올라갔다. 그러자 갑자기 문이 확 열렸다.

"거기 계신 분은 누구세요?"

겁먹은 듯한 여자의 목소리가 들려왔다.

"납니다. 당신을 찾아왔습니다."

라스콜리니코프는 이렇게 대답하고, 아주 자그마한 방으로 들어갔다.

"어머나, 당신이셨군요!"

소냐는 가냘픈 목소리로 외치고, 그 자리에 우뚝 서 버렸다.

라스콜리니코프는 재빨리 얼굴을 돌리고 탁자 앞 의자에 앉았다. 그는 한눈에 방 안을 훑어 보았다.

소냐의 방은 움막 같은 느낌이 드는 일그러진 네모꼴이었는데, 가구라고는 아무것도 없었다.

오른쪽 구석에 침대가 있고, 그 옆에 푸른 천이 덮인 탁자가 있고, 등의자 두 개가 놓여 있었다. 그리고 맞은편 벽을 끼고 잡목으로 만든 싸구려 장롱이 놓여 있었다. 군데군데 구멍이 나고 낡아서 누래진 벽지는, 구석구석이 시꺼멓게 그을려 있었다.

한눈에도 가난하게 살고 있음을 알 수 있었다.

소냐는 민망할 정도로 방 안을 두리번거리는 손님을 말없이 보고 있었다.

그러다가 나중에는 자기의 운명을 결정하는 사람 앞에 서 있는 듯한 공포심에 오들오들 떨고 있었다.

"내가, 너무 늦게 와서……. 벌써 11시군요."

그는 줄곧 그녀의 얼굴을 보지 않은 채 말하였다.

"네."

소냐는 중얼거리듯 대답하였다.

"아 참, 그래요."

그녀는 황급히 말하였다.

"방금 주인 집에서 시계종이 울렸습니다. 제가 들었어요. 그래요."

"난 당신을 찾아오는 것이 이게 마지막이라 생각하고 온 겁니다."

라스콜리니코프는 이 곳을 찾아온 것은 이번이 처음인데도, 얼굴을 찌푸리고 이렇게 말을 하였다.

"나는 어쩌면, 영원히 당신을 못 보게 될지도 모르겠습니다."

"어디로 떠나시나요?"

"모르겠습니다. 모든 것은 내일……."

"그럼, 내일은 우리 어머니한테도 못 오시겠군요."

소녀의 목소리가 떨렸다.

"모르겠습니다. 모든 것은 내일 아침, 아니 나는 한 마디 하고 싶은 말이 있어서 찾아온 거요."

그는 생각에 잠긴 듯한 침울한 시선을 그녀에게로 돌렸다. 그는 그 때서야 자기는 앉아 있고, 그녀는 자기 앞에 줄곧 서 있다는 것을 깨달았다.

"왜 그렇게 서 계십니까?"

그는 갑자기 태도를 바꾸어 상냥한 목소리로 말하였다.

그녀는 의자에 앉았다. 그는 동정어린 눈빛으로 한참 동안 그녀를 가만히 바라보고 있었다.

"아니, 당신은 왜 이렇게 말랐습니까! 당신의 이 손은 정말, 마치 뼈가 앙상한 게 꼭 죽은 사람의 손 같군요!"

그는 그녀의 손을 잡았다. 소녀는 힘없이 웃었다.

"당신은 앞으로 어떻게 할 작정이십니까?"

소녀는 이해하기 어렵다는 듯이 그를 바라보았다.

"식구들은 이제 모두 당신의 양어깨에 매달리게 되지 않았습니까! 물론 전에도 만사가 당신에게 달려 있었다고 생각해요. 첫째, 돌아가신 아버님도 당신한테 술값을 얻으러 들른다고 할 정도였으니까요. 이제부터는 어떻게 할 작정입니까?"

"어떻게 해야 할지 저도 모르겠어요."

소녀는 슬픈 듯이 말하였다.

"가족들은 거기에 그대로 있을 건가요?"

"글쎄요, 어떻게 될지. 어쨌든 거기는 집세가 밀려 있어서요. 오늘도 주인 여자가 나가 달라고 했대요. 또 우리 어머니도 더 이상 그 곳에 살고 싶지 않다고 하세요."

"어째서 그 사람은 그렇게 큰소리를 치는 거죠? 아마 당신을 의지하고 있는 모양이지요."

"아아, 안 돼요. 제발 그런 말씀은 하지 마세요……. 게다가 어머니가 무슨 일을 할 수 있겠어요? 어떡하면 좋을까요?"

그녀는 흥분해서 이렇게 물었다.

"그리고 오늘만 해도 어머니가 얼마나 울었는지 아세요? 어머니는 머리가 이상해졌어요. 우리 어머니를 불쌍하다고 생각하지 않으세요?"

소냐는 화가 난 목소리로 말했다.

"지난주의 일이었어요. 돌아가신 아버지가 말씀하시기를, '소냐, 이걸 좀 읽어 다오. 어쩐지 난 머리가 아파서 견딜 수가 없구나! 좀 읽어 다오. 자, 이 책을.' 하시면서 책을 한 권 내놓으셨어요. 그렇지만 저는, '이제 저는 돌아갈 시간이에요.' 라고 말했어요. 그 날 거기에 들른 것도, 어머니에게 새 칼라를 보이기 위해서였어요. 헌옷 장사를 하는 리자베타가 새 장식이 달린 고급 칼라와 커프스를 싸게 갖다 줬어요. 그랬더니 그 물건이 어머니의 마음에 꼭 들었나 봐요. 결국 그것을 달라고 하시더라고요. 저는 주기가 아까웠어요. 그래서 '당신한테 드려 봤자 아무 소용 없잖아요. 어머니!' 했어요. 정말 그렇게 말했어요. 그랬더니 어머니는 원망스러운 듯이 저를 쏘아보았어요. 그 모습은 정말 딱해서 볼 수가 없었어요."

"당신은 헌옷 장사 리자베타를 잘 알고 계시오?"

"네, 왜요? 당신도 알고 있어요?"

약간 놀란 듯한 표정으로 소냐는 되물었다.

라스콜리니코프는 그녀의 질문에는 대답하지 않고 말하였다.

"당신 어머니는 폐병으로 몹시 고생하는 모양이지요? 아마, 오래 가지 못할 것입니다."

"어머나, 아니에요!"

소냐는 무의식중에 그의 양손을 잡았다.

"하지만, 그러는 편이 낫지 않습니까?"

"아뇨, 천만에요. 절대로 그렇지 않아요."

소냐는 너무 놀라서, 입에서 나오는 대로 이렇게 되풀이하였다.

"그래, 그 아이들은? 만일의 경우 당신이 맡아야겠지요. 그러다가 그 부인이 쓰러지고, 경찰이 개입해서 병원에 들어가 죽게 될 겁니다. 그러나 그 아이들은……."

"어머나, 그런 일은 결코 하느님이 허락하시지 않을 거예요!"

라스콜리니코프는 벌떡 일어나 방 안을 왔다갔다하기 시작했다.

"그러나, 어쩌면 그 하느님이라는 건 전혀 없는지도 모르죠."

갑자기 소냐의 얼굴은 무서운 변화를 보였다. 그녀의 얼굴에는 경련이 스쳐 지나갔다. 그녀는 라스콜리니코프에게 무언가 말하고 싶어하였다.

그러나 한 마디도 하지 못하고, 다만 두 손으로 얼굴을 가리고 비통하게 흐느껴 울기 시작하였다.

잠시 침묵이 흐른 뒤에 소냐가 말했다.

"당신은 우리 어머니 머리가 돌았다고 하시더니, 오히려 당신 머리가 돈 거 아니에요?"

한 5분쯤 지났다. 라스콜리니코프는 끊임없이 왔다갔다하고 있었다. 그는 아무 말이 없었고, 그녀 쪽을 보려고도 하지 않았다. 그러다 마침

내, 소냐 쪽으로 다가갔다.

그의 눈은 이글이글 타는 것 같았다. 그는 소냐의 어깨에 양손을 얹고, 그녀의 우는 얼굴을 들여다보았다.

그는 재빨리 몸을 굽혀 땅바닥에 엎드리더니, 갑자기 그녀의 발에 입을 맞추었다.

"어머나, 당신! 무슨 짓을 하는 거예요? 저 같은 사람 앞에서."

소냐는 새파랗게 질려서 중얼거렸다.

그는 곧 일어났다.

"나는 당신에게 머리를 숙인 게 아니라, 온 인류의 고통 앞에 머리를 숙인 거라오."

그는 거친 어조로 말하고 창문 쪽으로 걸어갔다.

"좀 들어 봐요."

잠시 후, 그는 소냐 앞으로 되돌아오더니 말했다.

"아까, 나는 어느 무례한 녀석에게 너 같은 놈은 소냐의 새끼손가락만도 못한 놈이라고 말해 줬소. 그리고 또, 오늘 내가 누이동생에게 당신과 나란히 자리를 하게 한 건, 내 누이동생에게 영광을 누리게 해 준 것이라는 이야기도 해 주었소."

"어머나! 당신은 무슨 말씀을 그렇게 하셨어요? 더구나 당신 누이동생한테……."

소냐는 깜짝 놀라서 말했다.

"저와 자리를 같이하는 게 영광이라고요? 하지만 저는 이렇게 더러워진……. 아아, 당신은 왜 그런 당치도 않은 말씀을 하셨지요?"

"당신은 하느님께 열심히 기도를 드립니까? 소냐."

그는 그녀에게 물었다.

"하느님을 떠나서 제가 어떻게 살 수 있겠어요?"

그녀는 힘을 모아 빠르게 속삭였다.

"그래, 하느님은 거기에 대해서 당신한테 무엇을 주셨나요?"

그는 이렇게 따져 물었다.

소냐는 대답하기 곤란한 듯 잠시 가만히 있었다. 가냘픈 그녀의 가슴은 흥분으로 크게 물결치고 있었다.

몰래 엿들은 사나이

장롱 위에는 책 한 권이 놓여 있었다. 러시아 말로 번역된 신약성서였다. 그것은 낡고 다 해진 가죽 표지로 된 책이었다.

라스콜리니코프가 물었다.

"이거 어디서 났지요?"

"누가 갖다 주었어요."

"누가 가져왔어요?"

"리자베타가 가져다 준 거예요, 제가 부탁해서. 그 여자는 도끼에 맞아 죽었어요."

그의 신경은 차차 초조해지고, 머리는 핑핑 돌기 시작하였다.

"당신은 리자베타와 친한 사이였소?"

"네, 그래요. 저는 그 여자와 책도 읽고, 그리고 이야기도 나누었어요."

"나는 할 말이 있어서 당신을 찾아온 거요."

라스콜리니코프는 눈살을 찌푸리면서, 갑자기 큰 소리로 말하였다. 그러더니 일어나자마자 소냐 옆으로 다가갔다.

"나는 오늘 내 가족을 버리고 왔소."

그가 말했다.

"어머니와 누이동생을 말이오. 나는 이제 그들에게는 가지 않을 것이오. 아주 인연을 끊고 왔으니까!"

"어머나, 어째서요?"

소녀는 어이가 없어서 이렇게 물었다. 전에 그의 어머니와 누이동생을 만난 그 일은, 예사롭지 않은 깊은 인상을 소녀에게 남겨 주었다.

"지금의 나에게는 오직 당신 한 사람이 있을 뿐이오."

그는 말을 이었다.

"나하고 함께 갑시다! 그래서, 나는 당신을 찾아온 거요. 우리는 다 같이 저주받은 인간이야. 그러니 어디든 나하고 같이 갑시다."

"어디로 가죠?"

소녀는 무서운 듯이 자기도 모르게 한 걸음 뒤로 물러났다.

"난들 그걸 어떻게 알겠소? 다만 알고 있는 건, 같은 길을 간다는 것뿐이오. 그것만은 확실히 알고 있소. 그것만은 목적이 있으니까!"

소녀는 라스콜리니코프를 바라보고 있었다.

그러나 그의 말을 한 마디도 이해할 수가 없었다. 그녀는 다만, 그가 끝없이 불행한 사람이라는 것을 알았을 뿐이다.

"어떡하면, 어떡하면 좋죠?"

소녀는 신경질적으로 울음을 터뜨리고는 손을 비벼 대면서 되풀이하였다.

"어떡하다니? 단번에 파괴할 것은 파괴해 버리는 거야! 그것뿐이야! 그리고 고통을 몸소 떠맡아 버리면 그만일 거야! 어쩌면 당신하고 이야기하는 것도 이것이 마지막이 될지도 모르지. 내일, 내가 안 오면 자연히 소문을 듣게 될 거요. 그러면 내가 지금 한 말을 생각해 봐요. 하지만 내일 내가 오게 된다면, 그 때는 당신에게 누가 리자베타를 죽였는지 다 말해 주겠지. 그럼, 안녕!"

"그럼, 당신은 그녀를 누가 죽였는지 아세요?"

그녀는 무서운 생각에 몸이 얼음장같이 굳어졌다. 그리고 놀란 눈으로 라스콜리니코프를 바라보며 물었다.

"알고 있어. 그러니까 말해 준다는 것 아니오. 당신에게, 당신에게만! 나는 당신을 택한 거야. 난 훨씬 오래 전부터, 처음 당신 아버지한테 당신 이야기를 들었을 때부터, 이 이야기를 해 줄 사람으로 당신을 택하고 있었던 거야. 리자베타가 살아 있을 때부터, 난 그것을 생각하고 있었던 거야. 안녕, 그럼 내일 또!"

그는 나가 버렸다.

소냐는 미친 사람이라도 본 것처럼 그를 바라보고 있었다. 그러나 그녀 자신도 꼭 미친 사람 같았다.

'아아, 저 사람은 어떻게 리자베타를 죽인 범인을 알고 있을까? 그 말은 무슨 뜻일까? 아이, 무서워!'

그러나 이 순간에는 이런 생각은 소냐의 머리에 떠오르지 않았다.

"아아, 그이는 무척 불행한 사람일 거야! 어머니와 누이동생까지 버렸다니, 왜 그랬을까? 무슨 일이 있었을까? 그리고 그 사람은 무엇을 생각하고 있는 것일까? 그이는 내 발에 입을 맞추며 말했어. 나를 떠나서는 살 수 없다고. 오오, 하느님!"

오른쪽 문 맞은편에는 소냐의 방을 가로막고 있는 방문이 하나 있었다. 오른쪽 방은 벌써 오래 전부터 비어 있었다.

소냐는 전부터 그 방에는 사람이 살고 있지 않은 것으로 알고 있었다. 그러나 이 날 밤에는 그 빈 방 문 옆에 스미드리가일로프가 숨어 있었다. 그는 줄곧 붙어 서서 숨을 죽이고, 두 사람의 이야기를 엿듣고 있었다.

　다음날 아침 11시 정각, 라스콜리니코프는 경찰서 예심 사무실로 포르피리를 찾아갔다. 방으로 들어가니, 포르피리는 혼자 있었다.

　라스콜리니코프가 들어서자, 포르피리는 곧 문을 닫았다. 그들은 단 둘이 마주 앉게 되었다.

　"나는 신고서를 가지고 왔습니다. 시계에 관한……. 이것입니다만, 양식이 맞는 것인지, 그렇지 않으면 다시 고쳐 쓰겠습니다."

　"아, 신고서? 됐습니다. 됐어요. 염려 마십시오. 이걸로 충분합니다."

　포르피리는 마치 급한 볼일이라도 있다는 듯이 성급하게 말하였다. 그러나 신고서를 집어들고 훑어보는 것은 잊지 않았다.

　"됐습니다. 이것으로 충분합니다. 다른 건 필요 없습니다."

　"당신은 분명히 어제 내게 정식으로 그 살해당한 노파와 나와의 관계를 물어 보겠다고 말씀하신 것 같은데?"

라스콜리니코프는 다시 그 이야기를 꺼냈다.

"예, 그랬지요. 그랬지요! 그러나 염려하실 건 없습니다. 서두를 건 없습니다."

포르피리는 책상 주위를 서성거리며 라스콜리니코프의 의심쩍은 눈길을 피하는 것 같았다. 그러더니 갑자기 우뚝 멈춰 서면서 그의 얼굴을 정면으로 빤히 쏘아보았다.

"포르피리 페트로비치!"

라스콜리니코프는 몹시 초조한 목소리로 입을 열었다.

"어제 당신은 내게 뭔가 심문을 할 게 있으니 나와 달라고 하셨죠? 나는 이렇게 찾아왔습니다. 어서 무엇이든 물어보십시오."

"이것 참, 당신에게 뭘 심문할 게 있다는 말입니까?"

포르피리는 암탉 울음소리 같은 목소리로 말하였다.

"나는 당신이 이렇게 나와 주신 것을 무척 기뻐하고 있습니다. 잠깐 그 모자를 거기 놓으시죠. 그런데 당신은 분명히 법률가가 되기를 희망하셨다지요?"

"예, 그럴 작정이었습니다."

"그렇다면 당신한테 한 가지, 이를테면 참고로 말씀드리겠습니다만, 그러나 내가 건방지게 당신한테 강의를 한다고 생각하시면 곤란합니다. 당신은 이미 훌륭한 범죄론 같은 것을 발표하신 분이니까요."

"그거야 어찌됐든 들어 보겠습니다. 말씀하십시오."

"예, 그렇게 하지요. 나는 다만, 한 가지 예를 들어 말씀드리는 것에 불과합니다. 그래, 내가 갑이나 을, 또는 병이라는 사람을 범죄자로 생각했다고 합시다. 그렇다고 해서 그 사나이를 덮어놓고 처음부터 불안하게 할 필요가 있을까요? 잠시 동안 거리를 산책시키는 일쯤은 해 주는 게 좋지 않을까요? 헤헤, 체포도 하지 않고 괴롭히지도 않으면서, 내가 모든 비밀을 알고 있어 밤낮으로 자기 뒤를 밟으며 끊임없이 감시하고 있다는 것을 잊지 않게 해 준다든가, 적어도 의심하게끔 만든다고 합시다! 이렇게 해서 그 사나이에게, 내게서 끊임없는 혐의와 위협을 받고 있다는 것을 의식하도록 한다고 해 보시오. 그 사나이는 머리가 혼란스러워져서 마침내는 자기 스스로 자수하게 되겠지요? 이 얼마나 재미있는 일입니까? 그 때가 올 때까지는 마음대로 돌아다니게 내버려 두는 게 좋습니다. 얼마든지! 그 사나이가 어떠한 일이 있더라도, 내 손아귀에서 피해 달아날 수 없다는 것을 나는 너무도 잘 알고 있으니까요! 다시 말해서 그 사나이는 자연의 법칙에 따라서, 설사 도망칠 데가 있어도 달아나지 못하는 겁니다. 마치 모기가 촛불 둘레를 뱅뱅 돌 듯이 내 둘레를 뱅뱅 돌고 있다가, 결국은 내 입 속으로 똑바로 뛰어드는 겁니다. 그러면 나는 그것을 꿀꺽 삼켜 버립니다. 어떻습니까, 이렇게 되면 정말 유쾌하지 않겠습니까? 헤헤헤!"

라스콜리니코프는 새파랗게 질려서 꼼짝도 하지 못하고 앉아 있었다.

'대단한 강의로군!'

그는 온몸에 한기를 느끼며 생각했다.

'이쯤 되면 어제처럼 고양이가 쥐를 놀리는 정도가 아니다.'

포르피리는 점점 더 유쾌한 듯이 계속 웃으면서 또다시 방 안을 왔다 갔다하였다.

"당신은 아직 젊습니다. 말하자면 제 1의 청춘기에 있습니다. 그러므로 보통 젊은이들과 마찬가지로 인간의 지혜를 가장 높이 평가하고 계십니다. 지금 가령, 이것은 '특수한 경우'에 해당합니다만, 그 사나이가 교묘하게 거짓말을 했다고 합시다. 그리고 크게 승리한 것처럼 느끼고, 자기 지혜의 결과를 즐기고 있지만, 아니나다를까, 그는 갑자기 쓰러지고 맙니다! 제일 중요하고 제일 불리한 장소에서 졸도하고 맙니다. 물론 병이라든가, 때로는 방 안 공기가 좋지 않았다던가 해서 그럴 수도 있겠지만, 그렇다 해도 역시 어떤 암시를 주는 결과가 됩니다!"

포르피리는 잠시 서 있다가, 다시 왔다갔다하며 말을 이었다.

"즉, 그 사나이는 거짓말을 교묘하게 했지만, 아깝게도 자연을 고려할 줄 모르고 있었던 겁니다. 처음에는 속여넘길 수 있다고 하더라도 상대편이 바보가 아닌 이상, 하룻밤만 지내면 이쪽에서도 눈치를 채고 맙니다. 자연이란 거울과 같은 겁니다. 가장 투명한 거울입니다! 아니, 당신 얼굴이 왜 그렇게 창백해지셨죠? 숨이 답답하시오? 창문을 열어 드릴까요?"

"포르피리 페트로비치 씨!"

라스콜리니코프는 와들와들 떨리는 다리로 간신히 서 있었다. 그러나 그럼에도 불구하고, 그는 큰 소리로 또렷하게 외쳤다.

"나는 마침내 당신이 나를 그 노파와 동생 리자베타를 죽인 범인으로 혐의를 두고 있다는 것을 분명히 알았습니다. 만일 당신한테 법률상으로 나를 조사할 권리가 있다면 거리낌없이 조사하십시오. 체포하시려면 체포하십시오. 그러나 눈앞에서 조롱한다든가 괴롭힌다든가 하는 일은 결코 용서할 수 없습니다."

갑자기 그의 입술은 떨리고 눈에는 분노의 불길이 타오르면서, 이제까지 억제하고 있던 목소리가 힘차게 울려 나왔다.

"용서할 수 없습니다!"

그는 마구 부르짖으며, 주먹으로 힘껏 책상을 내리쳤다.

"아, 아니 왜 그러십니까?"

아주 놀란 듯한 표정으로 포르피리는 외쳤다.

"자, 당신이 그렇게 하시면 자기 자신을 미친 사람으로 만들고 맙니다. 아니, 사실이지. 자, 어서 이걸 좀 마셔요! 조금이라도 좋으니 마셔 보시오!"

포르피리는 이렇게 말하면서 물이 든 컵을 그의 손에 쥐어 주었다.

예심판사와의 대결

포르피리는 서슴없이 계속 말하였다.

"이미 말이 나왔으니 말인데, 나는 엄청난 사실을 알고 있습니다. 모든 것을 다 알고 있습니다! 당신이 해가 진 다음에 방을 얻으러 나가서, 피에 대한 이야기를 하면서 일꾼과 문지기들을 어리둥절하게 만든 일까지도 다 알고 있으니까요. 그야 그 때 당신의 정신상태는 나도 잘 알고 있습니다. 그러나, 그런 일만 하고 있으면 그야말로 자기 자신을 미친 사람으로 만들어 버립니다!"

'이건 또 어떻게 된 일이지. 셋집에 대한 것까지 알고 있으니. 더구나 자기 입으로 내게 말하다니!'

라스콜리니코프는 가슴이 섬뜩하였다.

"병입니다. 틀림없는 병입니다. 당신은 자기의 병을 너무 가볍게 보고 있습니다. 경험 있는 의사에게 보이는 게 좋을 겁니다. 당신을 돌보는 뚱뚱보 의사는 뭘 합니까? 당신은 열에 들떠 있는 겁니다! 당신이 하고 있는 일은 모두 그 열 때문입니다."

"아니오, 열에 들떠 있었던 게 아닙니다. 분명히 제정신이었습니다."

"아니오, 알고 있습니다. 당신은 어제도 열에 들떠 있지 않노라고 했고, 특히 그것을 강조했지요."

포르피리는 다정하게 그의 팔을 살짝 잡으면서 말을 계속 하였다.

"분명히 말씀드리겠습니다만, 당신은 병을 조심하지 않으면 안 됩니다. 그리고 지금 당신한테는 가족들이 와 계시지요. 그 분들 생각도 좀 해야지요. 당신은 그 분들을 안심시키고 위로해 드리지 않으면 안 되는데도, 도리어 놀라게만 하고 있지 않습니까?"

"그래, 그게 당신께 어쨌다는 말입니까? 당신은 어떻게 그걸 아셨지요? 그러고 보니 당신은 틀림없이 내 뒤를 밟고 있었군요."

"천만에요! 이건 모두 당신한테서 들은 이야기 아닙니까? 당신은 너무 흥분한 나머지, 자신의 입으로 나나 다른 사람들에게 하신 말씀을 벌써 잊으셨군요."

라스콜리니코프는 온몸을 부르르 떨었다.

"당신은 거짓말만 하고 있어!"

그는 부르짖었다.

"당신이 무슨 목적으로 이러는 건지 몰라도, 당신은 거짓말만 하고 있는 겁니다. 한 마디로 말해서……."

그는 일어서려다 포르피리와 부딪치자, 그를 밀어젖히면서 큰 소리로 말했다.

"요컨대, 나는 이것을 알고 싶습니다. 즉, 당신은 나에 대해 혐의를 두고 있는지, 아닌지? 그것을 내게 말해 주시오!"

"이것 참, 야단났는걸!"

포르피리는 진정 유쾌하고도 교활한, 그러나 태연한 얼굴로 외쳤다.

"당신은 무엇 때문에 그런 것을 알아야 합니까? 그 누구도 아직 당신의 마음을 어지럽히는 일을 하지 않았는데! 도대체 당신은 무엇이 그렇게 걱정입니까? 무엇 때문에 본인이 그렇게 나서려고 하는 겁니까?"

"나를 체포해 주십시오. 가택 수색을 해 주십시오. 제발 모든 일을 정식으로 처리해 주십시오. 그리고 나를 놀리는 일은 그만 해 주십시오."

포르피리는 여전히 교활한 미소를 띠고, 라스콜리니코프를 바라보며 그의 말을 가로챘다.

"내가 오늘 당신을 부른 것은 어디까지나 가족적인 분위기 속에서 친구로서 이야기하려고 한 것입니다."

"나는 당신의 우정 같은 것은 바라지도 않습니다. 자, 보십시오. 모자를 가지고 나갑니다. 체포할 생각이 있다면, 당장 뭐라고 말해 주세요!"

그는 모자를 움켜쥐고 문 쪽으로 걸어가려 하였다.

"그럼 한 가지, 여기서 뜻하지 않은 선물을 좀 보시지 않겠습니까?"

포르피리는 또다시 그의 팔을 붙잡고 문 앞에 멈춰 세우고는 껄껄 웃어댔다.

"뜻하지 않은 선물이란 무엇입니까?"

"뜻하지 않은 선물이란, 저기 내 방에 있습니다. 그 자가 달아나지 못하도록 자물쇠를 잠가서 가둬 둔 겁니다.

"도대체 뭡니까? 어디, 뭐가……."

라스콜리니코프는 드디어 자제력을 잃고 고함을 치기 시작하였다.

"난 모든 것을, 모든 것을 알았다! 거짓말이야! 뭐가 있다는 말이야? 부를 테면 불러 봐! 네놈은 내 병을 알고 있으니까! 사람을 미치도록 만들어서 꼬리를 잡으려는 거지. 그게 네놈의 속셈이지! 나를 반미치광이로 만들어 목사나 입회인들을 끌어다가 갑자기 나를 어리둥절하게 할 속셈이지? 네놈은 그들을 기다리고 있는 거지? 내놓을 테면, 어디 내놔 봐!"

"이런 일에 누가 입회를 합니까? 인간이란 때로는 터무니없는 생각을 하는군요! 그래 가지고서야 어디, 당신 말씀대로 정식으로 하기는 틀렸습니다. 당신은 아무것도 모릅니다. 하지만 곧 알게 될 겁니다."

포르피리는 문 쪽으로 귀를 기울이며 중얼거렸다.

사실 그 때, 옆방 문 쪽에서 무언가 떠드는 소리가 들려 왔다.

"아, 왔구나!"

라스콜리니코프가 소리쳤다.

"네놈은 그들을 부르러 보냈었구나! 네놈은 그들을 기다리고 있었지! 자, 모두들 오라고 해! 입회인이건 증인이건 다 오라고 해! 언제든지 오라고 해!"

그러나 그 때 괴상한 일이 일어났다. 그것은 라스콜리니코프도, 포르피리조차도 이런 결말을 보리라고는 생각도 못했던 뜻밖의 일이었다.

문 저쪽에서 큰 소리가 나더니 문이 빠끔 열렸다.

"무슨 일이야?"

포르피리가 못마땅한 듯 이렇게 외쳤다. 그러자 누군가의 목소리가 들렸다.

"유치인 니콜라이를 데리고 왔습니다."

"쓸데없는 짓이야! 데리고 가. 기다리라고 해!"

"하지만 이 사람이……."

누가 누군가를 힘껏 밀어젖히는 듯한 소리가 들렸다. 그러더니 뒤이어 창백한 한 사나이가 갑자기 포르피리의 사무실로 떼밀려 들어왔다.

바로 노파 살해 사건의 범인으로 혐의를 받고, 유치되어 있는 니콜라이라는 청년이었다. 뒤이어 간수가 뛰어들어와 그의 어깨를 꼭 잡았다.

니콜라이는 그 손을 뿌리쳤다.

"저리 가 있어. 부를 때까지 기다려라! 어쩌자고 이 사람을 이리 빨리 데리고 왔담!"

포르피리는 당황한 듯 중얼거렸다. 그러자 니콜라이가 별안간 그의 앞에 무릎을 꿇었다.

"뭐야, 너는?"

포르피리는 어이없다는 듯이 소리쳤다.

"죄송합니다. 저는 죄인입니다! 사람을 죽였습니다."

"뭐라고?"

순간적으로 말문이 막혔던 포르피리는 정신을 가다듬고 소리쳤다.

"저는 사람을 죽였습니다."

니콜라이는 다시 되풀이하였다.

"뭐라고, 네놈이? 어째서, 누굴 죽였다는 건가?"

포르피리는 당황하였다.

니콜라이는 잠시 동안 입을 다물고 있었다.

"알료나 이바노브나와 그 동생 리자베타 이바노브나를 죽였습니다, 도끼로. 제가 미쳤지요."

그는 이렇게 말하고는 다시 입을 다물었다.

"저는 사람을 죽였습니다. 자백합니다."

니콜라이는 다시 말했다.

"흐흠, 무엇으로 죽였는가?"

"도끼를, 전부터 준비해 뒀습니다."

"이봐! 덤비지 말고 말해 봐! 혼자서 했나?"

"혼잡니다. 미를레이에게는 죄가 없습니다."

"미를레이 이야기는 하지 않아도 좋아! 이 바보 같은 놈아!"

"……"

"그러면 너는 어째서 그 때 계단을 뛰어내려갔어? 문지기가 너희 두 사람을 봤다고 하던데?"

"그건 모두 변명을 위해서……. 그 때, 미를레이와 함께 뛰어내려왔기 때문이었죠."

니콜라이는 약간 당황한 기색으로 대답하였다.

"응, 그랬겠지."

포르피리는 외쳤다.

"함부로 지껄이는군!"

그는 혼잣말처럼 중얼거리더니, 문득 라스콜리니코프를 바라보았다.

"이거, 실례했습니다."

그는 라스콜리니코프 쪽으로 다가갔다.

"이래 가지고는 안 되겠군. 이게 뭡니까? 이제 여기 계셔도 소용없고. 아니 저, 정말 뜻밖입니다. 어서 돌아가십시오."

"당신도 이 일만은 예상 못했던 모양이지요?"

라스콜리니코프는 아직 아무것도 분명히 알지는 못했으나, 아주 기운이 나서 말했다.

"그렇습니다. 당신도 뜻밖이셨죠? 보세요, 그처럼 손이 떨리고 있지 않습니까? 헤헤!"

"하지만, 당신도 떨고 있습니다. 포르피리 페트로비치 씨!"

"그야, 나도 떨립니다. 너무 뜻밖이라서……."

포르피리는 라스콜리니코프가 어서 나가 주기를 초조하게 기다리고 있었다.

"그럼, 뜻밖의 선물이라는 것은 이제 안 보여 주십니까?"

"헤헤! 당신은 어지간히 짓궂은 분이군요! 자, 그럼 또 만납시다."

"아니, 나는 이것이 마지막이라고 생각하는데요!"

"모든 것은 하느님이 알아서 하시겠지요. 모든 것은 하느님의 뜻입니다."

일그러진 미소를 지으며 포르피리가 말했다.

라스콜리니코프는 곧장 집으로 돌아왔다.

그는 너무나 머리가 혼란하고 뒤죽박죽이 되어, 집으로 돌아오자마자 긴 의자에 몸을 던지고 잠시 쉬었다. 그는 15분 정도 꼼짝 않고 그렇게 앉아 있었다.

그는 심한 충격을 받고 있었다. 니콜라이의 자백 가운데 뭔가 자기로서는 이해할 수 없는, 그리고 설명할 수 없는 놀라운 그 무엇이 담겨 있다는 것을 느꼈기 때문이었다.

그는 한시바삐 카테리나의 집으로 가고 싶었다. 장례식에는 물론 시간이 늦었지만, 추도식에는 늦지 않을 것이라는 생각이 들었다. 거기 가면 소냐를 만나게 되리라는 희망을 가졌다.

그가 문을 열려고 하자, 갑자기 문이 저절로 열리기 시작했다. 그는 깜짝 놀라 뒤로 물러섰다. 문은 천천히, 그리고 조용히 열리면서, 느닷없이 사람의 모습이 나타났다. 그 사람은 바로 어제의 장사꾼과 같은 사나이였다.

"무슨 일입니까?"

라스콜리니코프는 죽은 사람처럼 새파랗게 질려서 물었다.

사나이는 잠시 머뭇거리다가, 갑자기 마룻바닥에 닿을 만큼 깊숙이 허리를 굽히고, 머리를 숙였다.

"왜 그러십니까? 당신은……."

라스콜리니코프는 외치다시피 하였다.

"제가 잘못했습니다."

그 사나이는 조용히 말하였다.

"뭐가 잘못입니까?"

"나쁜 생각을 했었습니다."

두 사람은 서로 얼굴을 마주 바라보았다.

"저는 화가 났던 겁니다. 그 때 당신은 아마도 취했던 모양이지만, 거기 오셔서 문지기에게 '경찰서에 가라.' 하고는 피에 대한 이야기를 물어봤지요. 그걸 그저 주정이라고만 생각하고, 그냥 내버려 둔 것이 화가 났던 것입니다. 너무나 화가 나서 잠을 못 잘 정도였습니다. 화가 치밀어서 견딜 수 없었습니다. 그래서 당신 주소를 알아 두었던 걸 생각하고는 어제 여기 와서 물어 보았더니……."

"누가 왔습니까?"

"접니다. 결국 당신한테 미안한 짓을 한 셈이지요."

그 때서야 라스콜리니코프는 모든 것이 환하게 떠올랐다. 그러고 보니, 어제의 그 공포는 완전히 사라진 것이나 다름없었다. 쉽게 풀린 수수께끼였다.

"그럼, 오늘 포르피리에게 그 이야기를 한 사람은 당신이었군요. 내가 거기 갔었다는 이야기를 한 사람은?"

"어디 계시는 포르피리 말인가요?"

"예심판사 말이오."

"예, 제가 말했습니다. 그 때 문지기들이 가지 않았기 때문에 제가 갔습니다."

"오늘 말입니까?"

"당신이 가기 바로 전입니다. 그리고 그 사람이 당신을 추궁하는 것을 모두 들었습니다."

"어디서? 무엇을? 언제?"

"역시 거기서지요. 그 칸막이 벽 뒤에서, 저는 줄곧 거기 있었으니까요."

"뭐라고요? 그렇다면 뜻하지 않은 선물이란 당신이었군요!"

"나는 모든 것을 사실대로 말했어요. 어제 당신이 내가 한 말에 대해서 아무 대답도 못 했다는 것부터, 당신은 내가 누군지 알아 보지 못했다는 것까지 다 이야기했어요. 그러다가 당신이 왔다는 말을 듣고는 '그럼, 저 칸막이 벽 뒤에 숨어 있으면서, 무슨 말을 듣더라도 절대로 움직여서는 안 된다.'고 말하고, 나를 구석에 처박고는 자물쇠를 잠가 버렸어요. 그런데, 니콜라이가 끌려 나왔기 때문에 그는 당신이 돌아가자마자 곧 나를 내보내 주었어요. 그리고 빠른 시일 내에 다시 불러 물어 볼 게 있다고 말했어요."

"그럼, 당신 앞에서 니콜라이를 심문했나요?"

"당신을 보내자, 나도 곧 돌려보내고 니콜라이를 심문한 것 같습니다."

사나이는 갑자기 말을 끊고는 손끝이 마루에 닿도록 절을 하였다.

"정말, 죄송합니다. 고발을 하고 중상 모략을 한 저를 용서해 주십시오."

"하느님이 용서하시겠지요."

라스콜리니코프는 대답했다. 그러나 사나이는 그가 이 말을 하자마자, 이번에는 마룻바닥까지 머리를 숙이고 나서 천천히 몸을 돌려 방에서 나갔다.

'자, 이제 모든 것은 더욱 애매해졌다. 이제야말로 모든 것이 애매하게 되어 버렸다.'

라스콜리니코프는 확인하려는 듯 되풀이하면서, 힘차고 씩씩하게 그 방을 나섰다.

고 백

라스콜리니코프가 카테리나의 집으로 갔을 때는, 이미 장례식을 마치고 모두 묘지에서 돌아와 있었다.

소냐는 라스콜리니코프의 곁에 앉아 급히 그에게 인사를 하였다. 그리고는 신기하다는 듯 힐끗 그의 얼굴을 바라보았다. 그러나 그것뿐, 그를 보지도 않고 말을 걸지도 않았다.

소냐는 어머니 카테리나의 마음에 들기 위해, 그녀만 바라보고 있었다. 어딘지 모르게 멍청한 표정이었다.

소냐는 슬픔을 참으려고 무진 애를 썼다. 그러나 그 자리에 앉아 있을수록, 아버지의 생전의 모습이 떠올라 견딜 수가 없었다. 그녀는 끝내 참을 수가 없어서 밖으로 뛰어나가 자기 집으로 돌아왔다.

소냐가 자리를 뜨자, 라스콜리니코프도 기회를 보아 자리에서 일어나 밖으로 나왔다. 카테리나는 마침, 주인 여자와 집세 문제로 열띤 이야기를 하는 중이었다. 그래서 그가 자리를 뜨는 것을 알지 못했다.

라스콜리니코프는 그 길로 소냐의 집을 향해 걸음을 옮겼다. 그런데 그의 가슴은 차츰 설레기 시작하였다.

그는 오늘 소냐에게 누가 리자베타를 죽였는가를 확실히 알려 주지 않으면 안 되었기 때문이었다. 그 무서운 고통을 예감하고, 마치 그것을 떨쳐 버리기라도 하듯이, 그는 손을 휘저었다.

'꼭 그것을 말하지 않으면 안 될까?'

그는 이런 야릇한 의심을 품고, 생각에 잠겨 문 앞에서 발을 멈추었다.

이제 더 이상 생각하고 괴로워하는 것을 피하고 싶었다. 그는 급히 문을 열고 문턱에서 소냐를 바라보았다. 소냐는 탁자 위에서 팔꿈치를 괴고 양손으로 얼굴을 가린 채 앉아 있었다.

그러다가 라스콜리니코프를 보자, 얼른 일어나 그의 앞으로 다가왔다.

"정말, 당신이 와 주지 않았다면 저는 어떻게 되었을까요?"

그녀는 마치 기다리고 있었다는 듯이 이렇게 말하였다.

라스콜리니코프는 탁자 앞으로 가서, 소녀가 방금 일어선 의자에 앉았다. 그녀는 어제와 마찬가지로 그의 앞에서 두어 발짝 떨어져 서 있었다.

"저는 생각이 부족해서 그대로 뛰쳐나와 버렸지만, 당신은 어떻게? 지금 다시 가 보려고 했지만……. 금방 당신이 올 것 같은 생각이 들어서."

라스콜리니코프는 소녀에게 집 주인 여자가 집세 때문에 집을 비우라고 하던 이야기를 전해 주었다.

"아아, 저는 어떡하면 좋지요?"

소녀가 외쳤다.

"자, 빨리 가요!"

소녀는 망토를 집어들었다.

그 모습을 본 라스콜리니코프는 짜증스럽게 외쳤다.

"당신은 그 사람들만 생각하는군요! 잠깐만이라도 나와 함께 있어 줘요."

소녀는 불안한 듯 그의 말끝을 기다리고 있었다.

"나는 어제, 돌아가면서 어쩌면 이것이 영원히 만날 수 없는 이별이 될지도 모른다. 그러나 내일이 또 올 수 있다면, 그 때는 당신에게 누가 리자베타를 죽였는지 말해 주겠다고 했었지."

그는 갑자기 와들와들 떨기 시작하였다.

"나는 지금 그걸 말하려고 이렇게 온 거야!"

"당신은 어떻게 그걸 알고 계시지요?"

소냐는 숨이 막힐 것만 같아서 얼굴이 창백해졌다.

"알고 있어!"

그녀는 잠시 입을 다물었다.

"찾아 내셨나요? 그 남자를?"

그녀는 조심조심 물었다.

"아냐, 찾아 낸 게 아니야!"

"그럼, 그걸 어떻게 아세요?"

그녀는 잠시 동안의 침묵 뒤에, 이번에는 거의 들리지 않을 정도의 목소리로 말했다.

"맞혀 봐!"

그는 일그러진 듯한 가냘픈 미소를 띠고 말했다.

"어머, 당신은……. 어째서 저를 이렇게 놀라게 하는 거지요?"

어린아이 같은 미소를 띠며 그녀가 말하였다.

"나는 그 사나이와 가까운 친구인지도 모르지 만일, 알고 있다면 말이야."

라스콜리니코프는 마치 눈을 움직일 힘도 없는 것처럼, 그녀의 얼굴을 지켜보면서 말을 이었다.

"그 사나이는 리자베타를 죽일 생각은 없었어. 그 사나이가 그녀를 죽인 것은 우연이었어. 그 작자는 노파만을 죽이려고 노파 혼자 있을 때 찾아간 거야. 그런데 그 때 마침, 리자베타가 들어왔어. 그래서 그녀까지 죽여 버린 거야!"

또다시 무거운 침묵이 흘렀다. 두 사람은 그 동안 줄곧 얼굴을 마주 보고 있었다.

"이래도 누군지 모르겠나?"

그는 갑자기 높은 종각에서라도 뛰어내리는 듯한 심정으로 불쑥 물었다.

"네, 모르겠어요."

소냐는 겨우 들릴 만한 작은 목소리로 속삭였다.

"자세히 봐요."

소냐는 겁에 질려 잠시 그를 바라보다가 천천히 침대에서 일어났다. 그 눈은 점점 커지면서 그의 얼굴에서 떨어지지 않았다.

그녀의 공포는 차차 라스콜리니코프에게로 전해졌다.

"알았어?"

그는 속삭이듯 물었다.

순간 그녀의 가슴에서는

"아아!"

하고 무서운 비명이 흘러나왔다.

그러나 그녀는 벌떡 몸을 일으켜 재빨리 그의 옆으로 가서, 그의 손을 잡고는 자기의 가느다란 손가락으로 꼭 움켜쥐었다. 그러고는 꼼짝도 하지 않고 그의 얼굴을 뚫어져라 바라보았다.

"이제 그만 해, 소냐! 이거면 충분해. 더 이상 나를 괴롭히지 말아 줘."

그는 괴로운 듯 이렇게 당부하였다.

순간 소냐는 그의 앞에 무릎을 꿇었다.

"어째서 당신은, 어째서 그런 일을 저질렀어요?"

그녀는 절망적으로 외치고 나서, 벌떡 일어나 그의 목에 매달려 그를 두 손으로 으스러지게 껴안는 것이었다.

라스콜리니코프는 비틀거리며, 서글픈 미소를 머금고 그녀를 바라보았다.

"소냐, 당신은 참으로 이상한 여자로군! 내가 이런 이야기를 했는데도 나를 안고 키스를 하다니. 넋이 빠져 제정신이 아닌 모양이군."

"아니에요, 아니에요! 이 세상은 넓지만, 지금 당신보다 불행한 사람은 없어요."

그녀는 정신없이 외쳤다. 그리고 갑자기 발작이라도 일어난 것처럼, 엉엉 울기 시작했다.

벌써 오랫동안 경험하지 못했던 감정이 물결치듯 그의 가슴에 끓어올랐다. 그는 이제 그 감정에 반항하려 하지 않았다. 그의 눈에서 두 줄기 눈물이 흘렀다.

"그럼, 당신은 나를 저버리지 않는 거지. 소냐?"

"네, 어디라도 따라가겠어요. 아아, 하느님! 저는 불행한 여자예요. 어째서 좀더 일찍 당신을 만나지 못했을까요? 어째서 당신은 좀더 일찍 와 주시지 않았나요?"

"그러니까 이렇게 왔잖아!"

"지금! 지금에 와서 어떻게 하라는 말씀이에요? 함께……. 함께!"

그녀는 얼빠진 사람처럼 또다시 그를 끌어안으며 되풀이하였다.

"저는 당신과 함께라면 감옥이라도 같이 가겠어요!"

"소냐, 나는 아직 감옥에 갈 생각은 없는지도 몰라."

소냐는 힐끗 그에게로 눈길을 돌렸다. 그녀는 아직도 의식이 분명치 않다는 듯, 깊은 의혹에 잠긴 채였다.

"어째서 당신은, 당신은 그런……, 그런 일을 저지를 수가 있었을까요? 어떻게 된 거예요?"

"그야, 훔치기 위해서였지! 하지만, 이제 그만 해. 소냐!"

그는 어딘지 모르게 지친 것도 같고, 화가 난 것도 같은 말투로 말했다. 소냐는 얼빠진 것처럼 서 있다가 큰 소리로 말했다.

"당신은 굶주리고 계셨군요! 당신은 어머니를 도와 드리기 위해서, 그렇지요?"

"아냐, 소냐! 그렇지 않아."

버림받기는 싫어

라스콜리니코프는 중얼거리면서 외면을 하고 고개를 숙였다.

"나는 그렇게 굶주리지는 않았어. 사실, 어머니를 도와 드리려고 했어. 하지만, 전부 그렇다고는 할 수 없어. 이제 나를 괴롭히지 말아 줘!"

소냐는 두 손을 철썩 마주쳤다.

"아아, 이런 일이 사실이라니! 누가 이런 일을 믿을 수 있겠어요? 그것을, 또 왜, 어째서 당신은 얼마 안 되는 그 돈을 몽땅 털어 가며 남을 도우면서, 그렇게 훔치기 위해서 사람을 죽이다니! 아아……."

그녀는 갑자기 소리를 높였다.

"우리 어머니한테 주신 그 돈도, 그 돈도……. 아아! 그 돈도 역시……."

"아냐, 소냐! 그건 아니야!"

그는 황급히 말을 가로막았다.

"그 돈은 아니야. 염려 마! 그 돈은 어머니가 내게 보내 준 거야. 마침 그 날, 내가 아파서 누워 있는데 돈이 왔어. 그 돈을 그대로 드린 거야. 라즈미힌이 알고 있어. 그가 대신 받아 준 거니까. 그 돈은 정말, 정말로 내 돈이란 말이야."

소냐는 의심스러운 표정으로 그의 말을 들으면서, 뭔가 열심히 생각하려고 하였다.

"나는 그 때 노파의 목에 걸려 있는 지갑을 벗겼어. 터질 듯이 두툼한 지갑이었어. 하지만 나는 그 속을 보지 않았어. 그럴 만한 여유가 없었던 거야. 그래서 장식 단추라든가 시곗줄 같은 물건은 모두 지갑과 함께 다음 날 아침, 어떤 공터의 바위 밑에 묻어 버렸어. 지금도 아마 거기 있을 거야."

"그럼, 당신은 어째서 물건을 훔치기 위해서라고 하셨지요? 자기는 아무것도 훔치지 않았으면서?"

"모르겠어. 난 아직 결심을 못했던 거야."

소냐는 다시 무슨 말을 하려다가 그만 입을 다물고 말았다.

"어제 내가 당신더러 함께 가자고 부탁한 건, 내게 남겨진 것은 당신 밖에 없기 때문이었어."

"어디로 가자고 하신 거죠?"

소냐는 조심조심 물었다.

"소냐, 나는 지금 바로 이 순간, 그걸 처음으로 알았어. 당신에게 부탁했던 것도, 이렇게 여기 처음 온 것도, 목적은 오직 한 가지! 당신한테 버림받고 싶지 않았기 때문이야. 나를 버리지 말아 줘, 소냐!"

그녀는 그의 손을 꼭 잡았다.

"오시길 잘했어요."

소냐가 말했다.

"제가 그걸 안 건 다행이에요."

그는 괴로운 듯이 그녀를 바라보았다.

"사실, 말하자면 내 어머니는 빈털터리라고 하는 게 옳을 거야. 누이동생은 어느 정도의 교육을 받았기 때문에, 가정교사 등으로 여기저기 떠돌아다니는 신세지. 두 사람의 희망은 오직 나 하나에 달려 있었어. 나는 공부를 하고 있었지만, 도저히 학자금을 댈 수가 없었어. 그래서 퇴학을 하지 않으면 안 되는 상황에 이르렀어. 그래서, 그래서 난 결심을 한 거야. 노파의 그 돈을 내 손에 넣고는 몇 년 간의 학자금으로 사용하여 어머니를 괴롭히지 않고, 대학을 졸업하면 그것으로 사회로 내딛는 첫 걸음의 밑천으로 쓰자. 그리고 만사를 크게 근본적으로 처리하여, 거기서 아주 새로운 인생 항로를 걷자! 그렇게 생각했던 거야. 그래서……. 그래서, 아니, 이것이 전부야. 그야 물론 노파를 죽인 것은 내가 나쁜 짓을 한 거야. 하지만 이제 그만 해두자."

"어머, 그건 틀렸어요."

소냐는 슬픈 목소리로 외쳤다.

"어떻게 그런 일이 있을 수 있어요. 틀렸어요, 틀렸고말고요."

"하지만 나는 진지하게 이야기한 거야. 진실을!"

"그것이 어떻게 진실일 수가 있어요? 아아, 하느님!"

"나는 이 한 마리를 죽였을 뿐이야. 소냐! 아무 쓸모 없는 더럽고 해만 끼치는!"

"어머나, 사람보고 이라니!"

"그야, 나도 이가 아니란 것은 알고 있어."

그는 야릇한 눈초리로 그녀를 바라보며 대답하였다.

"하긴, 나는 지금 거짓말을 하고 있는 거야. 소냐!"

그는 덧붙였다.

"나는 이미 훨씬 오래 전부터 거짓말만 하고 있어. 나는 퍽 오랫동안 아무하고도 이야기를 하지 않았어. 소냐……. 아아, 지금 나는 머리가 너무나 아파!"

그의 눈은 열병에 걸린 사람처럼 불타고 있었다. 다만, 헛소리를 하지 않을 뿐이었다. 그 입술에는 불안한 미소가 맴돌고 있었다. 그리고 무기

력한 빛이 감돌고 있었다.

소냐는 그의 괴로움을 알고 있었다. 하지만, 하지만 어떻게 할 것인가! '아아, 하느님!' 하고 그녀는 절망한 나머지 손을 마주 비비기 시작했다.

"나는, 나는 한 번 해 보고 싶었어. 그래서 죽였어. 그저 나는 해치우고 싶다고 생각했을 뿐이야. 소냐! 이것이 그 일을 한 원인이야!"

"아아, 이제 아무 말도 하지 말아요. 아무 말도 말아 주세요!"

손뼉을 치며 소냐는 외쳤다.

"당신은 아무것도, 아무것도 모르고 계시는 거예요! 아아, 하느님! 이 사람은 아무것도 모르고 있습니다."

"잠자코 있어. 소냐! 나도 나 자신이 악마에게 유혹되었다는 것쯤은 알고 있어. 모든 것을! 난 말이야, 소냐. 이러니 저러니 하는 이론 따위는 무시하고 죽이고 싶었어. 자기 자신을 위해서, 나 한 사람을 위해서 죽이고 싶었어! 내가 죽인 것은 어머니를 돕고 싶은 생각에서는 아니었어. 돈과 권력을 얻어서 은인이 되고 싶다는 생각에서도 결코 아니었어. 그건 터무니없는 일이야! 나는 그저 죽였을 뿐이야! 더구나, 소냐! 내가 죽였을 때에 필요했던 건 돈이 아니었어. 돈보다 다른 그 무엇이 필요했던 거야. 나는 그 때 조금이라도 빨리, 나도 다른 사람들과 마찬가지로 이인지, 그렇지 않으면 인간인지에 대해 알고 싶었던 거야. 내가 벌벌 떨고 있는 벌레인지, 아니면 권리를 가지고 있는 인간인지를……."

"사람을 죽일 권리를 가지고 있다고요?"

"그 때는 악마가 나를 유혹했던 거야. 그런데, 그 뒤에 악마 녀석은 내게 '너는 그런 짓을 할 권리가 없다. 너도 다른 사람들과 마찬가지로 이에 지나지 않기 때문이다.' 이렇게 설명하지 않겠어?"

"죽여 버렸잖아요!"

"나는 노파를 죽인 것일까? 나는 나 자신을 죽인 거야. 노파를 죽인 게 아니야! 나는 거기서 영원히 나 자신을 죽여 버렸어. 이제 그만 해, 소냐. 그만 해 줘. 나를 그냥 내버려 줘!"

그는 무릎 위에 팔꿈치를 괴고, 집게로 죄듯이 양손으로 머리를 움켜잡았다.

"아아, 얼마나 괴로우시겠어요?"

그런 안타까운 비탄의 소리가 소냐의 가슴을 치고 흘러나왔다.

라스콜리니코프는 갑자기 머리를 쳐들고, 절망 때문에 보기 흉하게 일그러진 얼굴로 그녀를 응시하며 물었다.

"자, 이제 나는 어떻게 해야 되지?"

소냐는 자리에서 벌떡 일어났다. 그런데 이제까지 눈물로 가득 차 있던 그녀의 눈이 갑자기 반짝거리기 시작했다.

"일어나세요!"

그녀는 그의 어깨를 움켜잡았다. 그는 얼빠진 사람처럼 그녀를 바라보며 몸을 일으켰다.

"지금 당장 네거리에 무릎을 꿇고 엎드려서, 우선 당신이 더럽힌 대지에 입을 맞추세요. 그리고 온 세계를 향해 절을 하시고, 사방을 향해 모든 사람들이 들을 수 있도록 '나는 사람을 죽였습니다!' 이렇게 말하세요. 그러면 하느님께서 다시 당신에게 새 생명을 주실 겁니다. 가시겠지요?"

그는 깜짝 놀랐다. 아니, 차라리 간담이 서늘해지는 듯한 느낌이었다.

"당신은 감옥을 이야기하고 있군. 소냐! 자수하라는 이야기지? 그렇지?"

그는 침울하게 물었다.

"자신이 고통 받고, 그 고통으로 자신을 속죄하는 거예요. 그것이 꼭 필요한 거예요!"

그는 소냐를 가만히 바라보면서, 그녀의 사랑이 얼마나 절실하게 자신에게 쏠려 있는지를 느꼈다.

"소냐!"

그는 말하였다.

"내가 수감되더라도 차라리 찾아와 주지 않는 게 좋겠어."

소냐는 대답하지 않았다. 그녀는 울고 있었다.

"당신, 십자가를 가지고 계세요?"

그녀는 문득 생각난 듯이 이렇게 물었다.

"없군요. 가지고 있지 않군요! 그럼, 이걸 가지고 계세요. 삼나무로 만든 것인데, 내게는 구리로 만든 것이 또 있으니까요. 리자베타가 준 거예요. 저는 이제부터 리자베타의 것을 걸고 있을 테니까, 이것은 당신이 가지세요. 이건 제 것이니까요. 제 것이니까요!"

그녀는 빌다시피 말했다.

"그럼, 받겠어!"

라스콜리니코프는 말했다. 그는 그녀를 슬프게 하고 싶지 않았다. 그러나 그는 십자가를 받으려고 내밀었던 손을 다시 거두었다.

"하지만, 지금은 안 돼, 소냐! 나중에 받는 것이 좋겠어."

그는 그녀를 안심시키기 위하여 이렇게 말하였다.

"네, 그러는 게 좋겠어요."

그녀는 자기도 모르게 맞장구를 쳤다.

"괴로움을 당하러 가실 때, 그 때 걸고 가세요. 그 때 제게 오시면, 제가 걸어 드리겠어요. 그리고 함께 기도 드리고, 함께 가요!"

뜻밖의 일

라스콜리니코프는 자기 하숙방으로 돌아왔다. 그리고 방 한가운데 우뚝 섰다.

'난 무엇 때문에 이 곳으로 돌아온 것일까?'

그는 누렇게 낡아빠진 벽지와 먼지 낀 의자 따위를 둘러보았다. 그는 지금까지 단 한 번도, 이 때처럼 무서운 고독을 느껴 본 적이 없었다.

"나는 외톨이가 되는 거다!"

그는 이렇게 딱 잘라 말했다.

"그녀도 감옥까지는 오지 않을 거다."

그는 머리를 쳐들고 괴상한 미소를 지었다.

'어쩌면 감옥으로 가는 것이 나을지도 몰라.'

이런 생각이 갑자기 그의 머리에 떠올랐다.

이 때 문이 열리면서 두냐가 들어왔다. 그녀는 라스콜리니코프와 마주 보이는 의자에 앉았다.

"화내지 말아요, 오빠. 저는 잠깐 들렀을 뿐이에요."

두냐는 말을 이었다.

"오빠, 저는 모든 것을 알고 있어요. 라즈미힌이 자세히 이야기해 주었어요. 모두들 오빠한테 터무니없는 더러운 혐의를 걸고, 오빠를 쫓아다니며 괴롭힌다고 하더군요. 라즈미힌은 내게 아무 근심할 것이 없는데, 오빠는 덮어놓고 무서워한다고 말해 주었어요. 하지만 저는 그렇게 생각하지 않아요. 그리고 오빠가 얼마나 분해하고 있을까, 그리고 그 분노가 영원히 가시지 않을 거라는 것도 잘 알고 있어요. 제가 오빠를 원망한 것을 용서해 주세요. 제 생각도 마찬가지예요. 만일 제게 그런 커다란 슬픔이 있다면, 역시 모든 사람으로부터 몸을 감췄을 거예요. 어머니 일은 안심하세요. 제가 잘 모실 게요. 하지만 오빠도 단 한 번이라도 좋으니 얼굴을 보여 드리세요! 지금 제가 온 것은, 오직 이 말씀을 드리고 싶었기 때문이에요. 만일 앞으로 무슨 일이 생겨서, 저 같은 거라도 필요하게 되신다면, 큰 소리로 저를 불러 주세요. 언제든지 달려올 테니까요. 그럼, 안녕!"

그녀는 홱 돌아서더니 문 쪽으로 걸어갔다.

"두냐!"

라스콜리니코프는 그녀를 불러 세우고는 일어서서 그쪽으로 다가갔다.

"그 라즈미힌이라는 사나이는 정말 좋은 녀석이다."

두냐는 얼굴을 약간 붉혔다.

"그래서요?"

잠시 후에 그녀는 물었다.

"그 녀석은 수완도 좋고, 근면하고 정직하고, 그리고 열렬히 사람을 사랑할 줄 아는 사나이야. 그럼 안녕, 두냐!"

두냐는 얼굴이 빨개졌다가 다시금 불안한 표정을 지었다.

"오빠, 오빠는 무슨 말씀을 하시는 거예요. 제게 그런 유언 같은 말을 다 하시고?"

"마음대로 생각하렴. 안녕……."

그는 몸을 돌려서 그녀 옆을 떠나 창 앞으로 걸어갔다. 그녀는 잠시 그 자리에 선 채 불안한 눈빛으로 그를 바라보다가, 이윽고 아픈 가슴을 안고 방에서 나갔다.

그는 누이동생에게 결코 냉담했던 것은 아니었다. 그녀를 꼭 껴안고, 그녀에게 이별을 고하고, 또 모든 것을 말해 버리고 싶은 강렬한 충동마저 느낀 순간도 있었다.

그러나 그렇게 할 수가 없었다.

창에서 상쾌한 공기가 스며들었다. 밖에는 이미, 아까 같은 밝은 햇살은 보이지 않았다. 그는 갑자기 모자를 집어들고 밖으로 나섰다.

그는 정처없이 헤매 다녔다. 해는 어느덧 저물어가고 있었다.

다리에서 그리 멀지 않은 개울가에 꽤 많은 사람들이 웅성거리고 있었다. 바로 소냐가 살고 있는 집에서 두 집 건너쯤 되는 곳이었다.

"어머나, 다쳐서 피투성이야! 아아, 하느님!"

그건 분명히 소냐의 목소리였다.

라스콜리니코프는 급히 그 곳으로 달려갔다. 볼품없는 밀짚모자를 쓴 카테리나가 길바닥에 새빨갛게 피를 토하고서, 쓰러져 숨을 할딱이고 있었다.

그녀는 아이들을 데리고 소냐를 찾아오는 길에 그만 쓰러졌던 것이다.

"다 죽어간다!"

누군가가 외쳤다.

"불쌍하게도 미쳤어!"

다른 누군가가 말했다.

"하느님, 보호해 주세요!"

성호를 그으면서 한 여자가 소리쳤다.

그녀는 거의 다 죽은 사람 같았다.

라스콜리니코프는 사람들의 도움을 받아서, 그녀를 소냐의 방으로 옮기고는 침대에 눕혔다. 폴랴는 울면서 떨고 있는 콜랴와 레냐의 손을 끌고 데려왔다.

군중 가운데는 뒤를 따라서 문 앞까지 온 사람들도 있었다. 그 사람들 중에 스미드리가일로프의 모습도 보였다. 라스콜리니코프는 그가 군

중 속에 끼어 있는 것을 본 기억이 없었다.

그래서 언제 어디서 나타났을까 하고 이상하게 생각하며, 놀라운 눈으로 그를 바라보았다.

카테리나는 일으켜 달라고 조르기 시작하였다. 사람들은 양쪽에서 그녀를 부축하여 침대 위에 일으켜 앉혔다.

"네게 너무 고생을 시켰구나! 소냐! 폴랴, 레냐, 콜랴! 다들 이리 와라. 자, 이것이 전부야, 소냐! 부탁이 있어. 이 아이들을 맡아 줘. 난이제 틀렸어! 연극은 끝났어! 아아, 이제 나는 쉬고 싶어. 하다못해죽을 때만이라도 조용히 죽게 해 주렴."

그녀의 야윈, 누르고 푸르스름한 얼굴은 뒤로 확 젖혀진 채 입은 벌어지고 다리는 경련을 일으킨 것처럼 쭉 뻗었다. 그녀는 깊은 숨을 몰아쉬더니 그대로 숨지고 말았다.

소냐는 시체 위에 엎드려 두 손을 끌어안고, 그 말라비틀어진 가슴에머리를 파묻은 채 정신을 잃고 말았다.

폴랴는 어머니의 발 밑에 엎드려 울면서, 몇 번이고 그 발에 입을 맞추었다. 콜랴와 레냐는 아직 무슨 일이 일어났는지 잘 이해하지도 못하면서, 뭔지 모르게 무서운 생각이 들어 소리내어 울기 시작하였다.

"라스콜리니코프, 나는 아무래도 당신에게 한 가지 말씀을 드리지 않을 수 없습니다만……."

스미드리가일로프가 이렇게 말하면서 곁으로 다가왔다. 그는 라스콜리니코프를 저만큼 떨어진 방 구석으로 데리고 갔다.

"이번 일의 일체의 뒤처리는 제가 부담하겠습니다. 요컨대, 돈만 있으면 되지 않습니까? 이 두 아이와 폴랴는 어디 좋다는 고아원으로보내서 소냐가 충분히 안심할 수 있도록 합시다. 세 아이가 성인이될 때까지, 한 아이 앞에 1,500루블씩 맡겨 놓기로 합시다. 그래서 말인데, 당신이 두냐에게 그녀의 1만 루블을 이렇게 썼다고 전해 주시기 바랍니다."

"도대체 당신은 무슨 목적으로 그처럼 엄청난 자선을 베풀려고 하시는 겁니까?"

"허 참, 의심이 퍽 많은 사람이군요."

스미드리가일로프는 웃었다.

그러더니 시신 쪽을 가리키면서 말했다.

"하지만 저 사람은 어느 돈놀이하는 노파처럼 이나 벼룩은 아니지 않습니까?"

순간 라스콜리니코프는 얼굴빛이 달라지면서 등골이 오싹해졌다. 그가 한 말은 자신이 소냐에게 했던 말이었기 때문이었다.

그는 살기찬 눈초리로 스미드리가일로프의 얼굴을 쏘아보았다.

"어, 어떻게⋯⋯. 당신은 알고 계십니까?"

"다름 아니고, 나는 여기 이 벽 하나를 사이에 둔, 옆방에 숙소를 정하고 있으니까요. 이웃 사이죠."

"당신이?"

"그렇소."

배를 움켜쥔 채 스미드리가일로프는 말을 계속 이었다.

"그런데 친애하는 라스콜리니코프 씨, 언젠가 내가, 우리는 반드시 사이좋게 지내게 될 거라고 말하지 않았던가요?"

라스콜리니코프는 갑자기 자기 눈앞을 자욱한 안개가 가로막고 있다는 느낌을 받았다.

어느 날 새벽녘에 라스콜리니코프는 온몸이 불덩이 같은 열로 떨면서 크레스토포스키 섬의 풀숲 속에서 눈을 떴다. 그래서 그는 발길을 돌려, 아침 일찍 하숙집으로 돌아왔다.

몇 시간 동안 잠을 자고 나자 열은 내렸으나, 눈을 뜬 것은 저녁때가 다 되어서였다. 그가 복도로 통하는 문을 여는 순간, 뜻밖에도 포르피리와 정면으로 마주쳤다. 포르피리는 그의 방으로 들어오는 길이었다.

라스콜리니코프는 그 순간, 우뚝 서 버렸으나, 그것은 불과 순간에 지나지 않았다.

'어쩌면 이것으로 해결이 날지도 모르겠군! 하지만, 이놈은 어째서 고양이처럼 살그머니 들어온 것일까? 나는 전혀 몰랐는데!'

"뜻밖이시죠? 라스콜리니코프 씨!"

포르피리는 껄껄 웃으면서 들어왔다.

"벌써부터 한번 들러 보려고 생각했는데, 마침 지나던 길에 생각이 났어요. '한 5분 실례해도 괜찮겠지.' 하고요. 하지만 어디, 나가십니까? 그럼 잠깐만, 그저 담배 한 개피 필 정도의 시간 말입니다. 괜찮다면."

"우선 앉으시오. 자, 앉으세요."

라스콜리니코프는 태연하고 친밀한 태도로 의자를 권했다. 이제 막다른 골목이었다. 그러나 그는 정면으로 포르피리 앞에 앉아서 눈도 깜빡이지 않고 그를 바라보고 있었다.

포르피리는 실눈을 뜨고 담배를 피우기 시작하였다.

그 얄밉도록 침착하고 싸늘한 태도에, 라스콜리니코프의 얼굴은 점점 어두워졌다.

포르피리의 확신

이윽고 포르피리는 말문을 열었다.

"사실은 해명을 하려고 온 겁니다. 해명을 하려고요!"

그 해명이란 말에 힘을 주어 거듭 말하였다.

"해명? 무엇에 대한……."

라스콜리니코프는 어리벙벙하여 말끝을 흐렸다.

"저, 왜 지난번에 정말 이상한 일이 일어났었지요? 기억하고 계십니까? 그 때 우리의 어처구니없는 작별 말입니다. 그래, 당신은 몹시 흥분해서 무릎이 바들바들 떨렸고, 나는 신경이 곤두서서 무릎이 바들바들 떨렸죠."

"아, 그 일이라면 생각납니다."

"예, 그러시겠지요. 그런데 라스콜리니코프, 알고 보니 그 자는 전당포 노파 살해범이 아니었어요. 그 니콜라이라는 자는 거짓 자백을 하여 죄를 뒤집어쓰고 있는 겁니다."

순간 라스콜리니코프는 마치 무엇인가에 찔린 듯 온몸을 바들바들 떨었다.

"그럼 누, 누가 죽였습니까?"

그는 견딜 수가 없어 헐떡이는 목소리로 물었다.

"누가 죽였느냐고요?"

포르피리는 마치 자기 귀를 의심하듯이 되물었다.

"그야, 당신이 죽인 거지요. 라스콜리니코프, 당신이 죽인 겁니다!"

그는 거의 속삭이듯, 그러나 매우 확신에 찬 목소리로 말했다.

라스콜리니코프는 긴 의자에서 벌떡 일어났다. 그리고는 몇 초 동안 그대로 서 있었다. 그러다가 아무 말도 하지 않고 또 다시 앉았다. 알지 못하는 사이에 잔잔한 경련이 그의 얼굴 전체를 스쳐갔다.

"입술이 또 그 때처럼 떨리고 있군요."

포르피리는 오히려 동정의 빛마저 띠고 중얼거렸다.

"내가 오늘 찾아 뵌 것은, 사실은 모든 것을 얘기하고 사건을 밝혀서 정식으로 다루려고 생각했기 때문입니다.”

“하지만, 그 노파는 내가 죽인 것이 아닙니다.”

라스콜리니코프는 나쁜 짓을 하다가 그 자리에서 들켜서 떨고 있는 어린아이처럼 이렇게 속삭였다.

“아니, 그건 당신입니다. 라스콜리니코프, 당신이에요! 당신 외에는 다른 아무도 아닙니다.”

확신에 넘치는 엄숙한 어조로 포르피리는 속삭였다.

그들 두 사람은 모두 입을 다물고 말았다. 그 침묵은 야릇할 정도로 길었으며, 10분이 넘도록 계속되었다.

라스콜리니코프는 탁자 위에 팔꿈치를 괴고, 말없이 머리카락을 쥐어 뜯고 있었다.

포르피리는 앉은 채로 기다리고 있었다.

“만일 그렇다면 무엇 때문에 일부러 오셨습니까?”

초조한 마음으로 라스콜리니코프는 물었다.

“만일 당신이 나를 범인이라고 생각하신다면, 어째서 빨리 잡아넣지 않는 겁니까?”

“네, 그게 문제입니다! 좋습니다. 그럼 하나하나 차례로 대답해 드리죠, 첫째, 당신을 그렇게 간단히 체포해 버리는 것이, 내게 있어서는 불리하기 때문입니다.”

“뭐가 불리합니까? 당신에게 확신이 있다면 당신은 당연히……”

“그렇지만, 아직 이것은 모두 내 공상에 지나지 않기 때문입니다.”

“좋습니다. 둘째 이유는?”

“아까도 말씀드렸습니다만, 당신과 이야기하는 것을 의무라고 생각했기 때문이지요.

나는 당신에게 악인이란 소리를 듣고 싶지 않아요. 더구나 믿을지 어

떨지는 모르겠습니다만, 나는 당신에게 진정으로 호의를 갖고 있기 때문입니다. 따라서 셋째로는, 나는 용기 있게 당신이 자수하도록 권하려고 방문한 겁니다. 이것은 당신에게 있어서도 매우 유리한 동시에, 제게도 또 매우 유리합니다. 왜냐고요? 어깨의 짐을 벗을 수 있으니까요. 자, 어떻습니까? 나로서는 탁 터놓고 말씀드리고 있는 겁니다."

라스콜리니코프는 잠시 동안 생각에 잠겼다.

"그래서 만일 당신이 오산을 한 거라면 어떻게 하시겠습니까?"

"아니오, 라스콜리니코프! 나는 절대로 과오를 범하고 있지 않습니다. 나는 아무리 작은 실오라기 정도라 하더라도 증거를 쥐고 있으니까요."

"무슨 증거를?"

"아니, 그것은 말하지 않겠어요. 라스콜리니코프! 그리고 어쨌든, 나로서도 지금은 더 이상 지체할 권리가 없기 때문에 당신을 체포하겠습니다. 그러니 당신도 잘 생각하세요. 내게 있어서는, 지금은 이미 어느 쪽이든 마찬가지입니다. 나는 다만 당신을 위해서 말하고 있는 겁니다. 정말 그러는 편이 좋으실 겁니다. 라스콜리니코프!"

라스콜리니코프는 독살스럽게 웃었다.

"무슨 이유로 당신을 찾아가서 자수를 해야 합니까?"

"나는 어쩌면 지금도 당신에게 뭔가를 숨기고 있는지도 모릅니다. 나라고 해서 하나에서 열까지 모조리 털어놓아야 할 의무는 없으니까요. 헤헤! 그러면 자수를 할 경우, 당신이 어느 정도 감형이 되는지 그건 알고 계십니까? 다만, 이것만은 잘 생각해 보세요! 다른 사나이가 이미 죄를 뒤집어쓰고 사건을 모조리 흔들어 놓고 있는 때가 아닙니까? 나는 하느님 앞에 맹세해도 좋습니다. 당신의 살인이 돌발적으로 일어난 것처럼 잘 꾸며 드리겠어요. 그렇게 하면, 당신의 범죄는 일종의 정신 착란 때문이었다고 되어 버리겠죠. 착란임에 틀림없으니까요. 나는 정직한 사람입니다. 라스콜리니코프, 내가 한 약속은 꼭 지키겠습니다.”

라스콜리니코프는 슬픈 듯이 입을 다물고, 고개를 떨어뜨렸다. 그는 오랫동안 생각하고 있었으나, 드디어 가까스로 웃었다. 그러나 그 웃음은 아주 온순하고 슬퍼 보이는 웃음이었다.

“그럴 필요는 없습니다! 나는 당신들에게 감형을 해 달라고 하지는 않겠습니다!”

“바로 그겁니다. 내가 두려워하고 있는 것은!”

포르피리는 몹시 흥분해서 마치 자기 자신을 잊은 것처럼 이렇게 외쳤다.

“그것입니다. 내가 두려워하는 것이! 그 감형 따윈 필요 없다고 하는 그것 말입니다.”

라스콜리니코프는 슬픈 듯한 눈으로 뚫어지게 그를 바라보았다.

“아니, 생명을 소홀히 해서는 안 됩니다!”

포르피리는 계속 말을 하였다.

“당신은 아직 앞날이 창창합니다. 어째서 감형이 필요 없다는 겁니까? 당신은 정말로 성질이 급한 분이군요!”

“앞날이 뭐가 창창하다는 겁니까?”

“생활이 있습니다! 당신에게 두려워할 것은 없습니다. 자수를 해도 부끄러울 건 없습니다. 도대체 당신은 지금까지 얼마만큼이나 인생을 맛보셨습니까? 어느 정도의 이해를 갖고 계십니까? 하기는, 괴로움도 좋은 겁니다. 한껏 괴로워하십시오. 어쩌면 괴로움을 받고 싶어하는 니콜라이가 올바른 것인지도 모릅니다. 아무것도 생각하지 말고, 순순히 생활 속에 몸을 맡기세요. 크게 걱정할 필요는 없습니다.
아직 하루하고 반나절, 아니면 이틀쯤은 당신을 마음대로 돌아다니게
해 드릴 수 있을 겁니다."

"하지만, 내가 도망을 치면?"

라스콜리니코프는 야릇하게 웃으며 물었다.

"아니, 당신은 도망치지 않습니다. 그리고 당신에게 있어서 도망이
무슨 의미가 있습니까? 도망에는 비굴함과 고난밖에 없습니다. 더구
나 당신에게는 첫째로 생활이 필요합니다. 안정된 상태가 필요합니
다. 그런 것들이 도망 속에 있습니까? 한 번은 도망친다 해도, 스스로
돌아오게 될 것입니다. 당신은 우리를 떠나서는 살 수 없습니다. 고통
속에는 이상이 있습니다. 니콜라이가 말한 대로입니다. 아니, 당신은
도망 같은 것은 하지 않습니다. 라스콜리니코프!"

라스콜리니코프는 일어나서 모자를 들었다. 포르피리도 따라 일어났
다.

"산책이라도 나가십니까?"

포르피리도 모자를 들었다.

"아니, 포르피리 페트로비치! 당신이 괴상한 분이기 때문에, 나는 다
만 호기심으로 당신의 말을 듣고 있었던 것뿐입니다. 절대로 아무것
도 당신에게 자백 같은 건 하지 않았어요. 이걸 잊지 마십시오."

"아아, 알고 있습니다. 기억해 두겠어요. 그런데 왜 그렇게 떨고 계십
니까? 걱정하실 건 없습니다. 당신 좋을 대로 하세요. 잠시 바람이라
도 쐬고 오십시오. 그러나 너무 지나치시면 안 됩니다. 그런데 만일을
위해서 한 가지 당신에게 부탁이 있습니다만."

그는 목소리를 낮추어 덧붙였다.

"만일에 말입니다. 아니, 만의 하나라도, 가령 스스로 자신에게 손을

대겠다는 생각이 일어나기라도 한다면 말입니다. 그 때는 짧아도 좋으니, 내용을 정확하게 알 수 있도록 편지라도 써서 남겨 두십시오. 두 줄, 그저 단 두 줄이라도 좋습니다. 돈에 대해서도 적어 주십시오. 그러는 편이 훨씬 떳떳합니다. 그럼, 다시 뵙겠습니다."

포르피리는 약간 허리를 굽혀서, 라스콜리니코프의 시선을 피하듯 하면서 밖으로 나갔다.

이루지 못한 사랑

포르피리가 자리를 뜬 후 라스콜리니코프도 자리에서 일어나 거리로 나왔다.

'스미드리가일로프는 결코 두냐를 가만히 내버려 두지 않을 텐데……'

그는 자꾸 여러 가지 생각이 나서 견딜 수가 없었다.

언제나 하는 버릇으로 그는 혼자가 되자, 스무 걸음도 걷지 않은 사이에 깊은 생각에 잠기고 말았다.

소냐가 살고 있는 집 가까운 다리에 이르자, 그는 난간에 기대어 흐르는 물을 가만히 지켜보았다.

그 때, 어느 틈엔지 두냐가 그의 등 뒤에 나타났다. 그녀는 지금까지 한 번도 이런 모습으로 길을 걷고 있는 오빠를 본 적이 없었다. 그렇기 때문에 기절할 정도로 놀라서 발을 멈췄다. 그리고 잠시, 오빠를 부를까 말까 망설였다. 그 때, 시장 쪽에서 급히 이쪽으로 달려오는 스미드리가일로프의 모습이 눈에 띄었다. 자세히 바라보니 그는 어쩐지 남의 눈을 피해 조심스럽게 다가오는 것 같았다.

그는 다리로 오지 않고, 라스콜리니코프에게 들키지 않으려고 애를 쓰면서 보도 위에 선 채 두냐에게 눈짓을 하였다. 두냐는 살며시 오빠 뒤를 돌아서 스미드리가일로프 쪽으로 다가갔다.

"빨리 갑시다."

스미드리가일로프는 그녀에게 속삭였다.

"사실은 당신 오빠에게 우리가 만나는 것을 알리고 싶지 않습니다."

"이젠 모퉁이를 돌아섰잖아요."

두냐가 말했다.

"이젠, 오빠에게 들킬 염려는 없습니다. 잠깐 말씀드리겠습니다만, 저는 더 이상 앞으로 갈 수가 없어요. 그러니 여기서 모든 걸 말씀해 주세요. 용건은 길에서도 들을 수 있는 것이니까요."

"첫째로, 이 얘긴 절대로 길가에선 말씀드릴 수 없고, 둘째로 당신은 소녀의 얘기도 들으실 필요가 있습니다. 셋째로는, 잠깐 보여 드릴 서류도 있고……. 만일 당신이 내 집에 오시는 것을 거절하신다면 나는 모든 설명을 그만두고 이대로 돌아가겠습니다. 그래서 잠깐 주의 말씀을 드리는 겁니다만, 당신이 가장 사랑하는 오빠의 극히 중대한 비밀이 완전히 제 손에 쥐어져 있다는 것을 잊지 마시기 바랍니다."

두냐는 난처해서 말을 멈춘 채, 날카로운 눈초리로 스미드리가일로프를 쏘아보았다.

"당신은 무엇을 두려워하고 계십니까?"

그는 태연하게 나무라듯이 말했다.

"나는 당신을 뻔뻔스러운 분이라고 알고 있습니다만, 절대로 두려워하고 있지 않습니다. 제발 먼저 가 주십시오."

두냐는 창백한 얼굴로 말했다.

스미드리가일로프는 가구가 딸린 상당히 넓은 방을 두 개 사용하고 있었다. 그는 두냐를 응접실로 쓰고 있는 첫 번째 방으로 데리고 들어

가서 의자에 앉혔다.

"이게, 당신의 편지입니다."

두냐는 편지를 탁자 위에 놓고 말을 꺼냈다.

"당신이 쓰신 내용의 그런 일이 있을 수 있을까요? 당신은 오빠가 무슨 범죄를 저지른 것처럼 비치셨더군요. 설마, 이제 와서 부정은 하지 않으시겠죠. 저는 그 전에는 이 어처구니없는 얘기를 들었습니다만, 그런 건 한 마디도 믿지 않습니다. 어서 말씀해 주세요! 그러나 미리 말해 두겠습니다만, 나는 당신을 믿지는 않습니다! 믿지 않고말고요!"

"믿지 않으신다면, 어째서 혼자 나를 찾아오시는 이런 모험을 할 수 있지요?"

"저를 괴롭히지 말고 말씀해 주세요. 어서 빨리요!"

"오빠는 이 곳으로, 이틀 밤 연이어 소냐에게 찾아왔습니다. 그래서 오빠는 그녀에게 모든 것을 고백하였습니다. 오빠는 살인자입니다. 그는 자기 물건을 잡고 돈을 빌려 준, 어느 관리의 미망인인 돈놀이 하는 노파를 살해하고, 때마침 살인 현장에 우연히 나타난, 헌옷 장사를 하는 리자베타라는 노파의 여동생도 죽여 버렸어요. 오빠는 그 두 사람을 자기가 가지고 간 도끼로 죽였습니다."

"그걸 당신이 어떻게 아세요?"

"바로 옆방이 소냐의 방입니다. 나는 이 곳에 앉아서 오빠가 고백하는 소리를 다 들었습니다. 엿들은 것이지요."

"참으로 비열하군요. 그러나 그런 일이 있을 리가 없어요."

두냐는 핏기 가신 죽은 사람 같은 입술로 중얼거렸다.

"아뇨! 절대로, 절대로 그럴 만한 이유가 없습니다. 그건 거짓말이에요! 거짓말!"

"오빠는 물건을 훔쳤습니다. 그게 모든 원인입니다. 오빠는 돈과 물건을 훔쳤습니다. 그러나 그 돈과 물건에는 손도 안 댄 채, 어느 바위 밑에 묻어 버렸다고 하더군요. 그것은 지금도 거기에 있답니다. 그렇지만 그것은 다만, 오빠에게는 그것들에 손을 댈 만한 용기가 없었다는 것뿐입니다."

"아니에요, 아니에요! 오빠는 그런 일을 생각조차 할 수 없는 사람이에요!"

두냐는 이렇게 외치고 의자에서 벌떡 일어났다.

"진정하시오. 두냐! 이럴수록 더 냉정해야 합니다."

"저는 소냐를 만나 보고 싶은데요. 지금 당장, 그녀를 만나고 싶어요. 그리고 그녀한테서……."

"소냐는 밤까지 돌아오지 않을 겁니다."

"아아, 그러면 당신은 거짓말을 했군! 너는 거짓말을 하고 있어. 난 안 믿어!"

두냐는 완전히 이성을 잃고, 미친 사람처럼 외쳤다.

"두냐, 제발 진정해요. 우리가 오빠를 구합시다. 뭣하면 내가 오빠를 데리고 외국으로 가겠습니다. 내게는 돈도 있습니다."

"이 악당! 아직도 사람을 놀리다니, 어서 나를 보내 주세요!"

"어디로 가겠습니까?"

"오빠에게로, 오빠에게 가겠어요."

두냐는 일어서서 비틀비틀 문 쪽으로 걸어갔다. 그러나 그 문은 이미 굳게 잠겨 있었다.

"아니, 어째서 이 문을 잠갔죠? 어서 열어 주세요!"

"여기서 이야기한 것을 이 방 저 방 큰 소리로 떠들고 다니면 곤란하니까요. 제발 흥분을 가라앉혀요. 이러면 오빠 일을 망치게 됩니다."

"오빠의 일을……?"

"그렇소. 잘 하면 오빠를 구해 낼 수 있습니다."

"어떻게 구할 수 있다는 거죠?"

두냐는 의자에 앉았다. 스미드리가일로프는 그 옆에 앉았다.

"당신의 말 한 마디로 오빠를 구할 수 있습니다. 나는 오빠를 구하겠습니다. 여권도 내가 마련합니다. 당신과 어머니의 여권도. 어째서 당신은 라즈미힌이 아니면 안 됩니까? 나도 당신을 사랑하고 있습니다. 한없이 사랑하고 있습니다."

그는 언젠가 그의 집 정원에서처럼 눈을 번득이며 열에 들뜬 어조로 속삭였다.

"젊은 아가씨 혼자서 독신인 사나이 방에 찾아왔다는 것에 도대체 어떤 이유를 붙일 수 있겠습니까? 폭행이라는 것은 매우 증명하기 곤란한 것입니다."

그는 느물느물 비웃는 듯한 미소를 지으며 계속 지껄였다. 두냐는 흠칫 놀라 한 걸음 물러섰다.

"아아, 그러면 너는 사람을 폭력으로! 비열한 자식!"

갑자기 그녀는 주머니에서 권총을 꺼냈다. 안전장치를 풀고 권총을 든 손을 탁자 위에 올려놓았다.

스미드리가일로프는 자리에서 벌떡 일어섰다.

"하하! 그런 수법이 있었군!"

"한 발짝이라도 움직여 봐라. 너를 쏴 죽여 버릴 테니!"

두냐는 권총을 겨누었다.

"그럼, 오빠는 어떻게 하시겠습니까?"

"하고 싶거든, 고소를 하든 뭘 하든 네 마음대로 해라! 한 발짝이라도 움직이게 할 줄 아니? 쏠 테야! 너는 네 부인을 독살하지 않았니? 너야말로 살인자야."

"그럼, 당신은 내가 내 아내를 독살했다고 믿고 있군?"

"나는 알고 있어. 네가 독약을 사러 나간 것까지. 사람 같지 않은 놈 같으니라고!"

"하지만, 그게 사실이었다고 하더라도 역시 네가 원인이었어."

"거짓말이야! 나는 너를 미워하고 있었어. 언제나, 언제까지나……."

"옳지, 두냐! 잊지 않았겠지요. 그날 밤 달이 비치고, 거기다가 꾀꼬리까지 울고……."

"거짓말이야! 거짓말이야!"

"그래, 거짓말이라면 거짓말이라고 해 둡시다. 나는 거짓말을 했어요. 자, 쏠 테면 쏴 봐!"

두냐는 권총을 치켜들었다. 그는 한 발 앞으로 나왔다. 그 순간 총성이 울렸다. 총알은 그의 머리카락을 스치고 뒤쪽 벽에 맞았다.

그는 멈춰 서더니 조용히 웃었다.

"벌이 쐈군! 뭐야, 이건? 피로군!"

그는 오른쪽 관자놀이에 가는 줄기로 흐르는 피를 닦으려고 손수건을 꺼냈다.

"뭐예요, 잘못 쏘셨어요! 다시 한번 쏴 보세요. 기다리고 있습니다."

스미드리가일로프는 나지막한 목소리로 말했다.

"그런 식으로 하시다간, 제가 당신을 잡아 버리겠습니다!"

두냐는 몸을 부르르 떨고 진저리를 치더니, 다시 권총을 겨누었다.

"제 걱정은 마세요."

그녀는 절망에 찬 목소리로 부르짖었다.

"다시 한 번 쏘겠어요. 난 당신을 죽일 거예요."

그의 눈빛은 빛났다. 그는 다시 두 발짝 앞으로 나갔다. 두냐는 방아쇠를 당겼다. 그러나 총알은 나가지 않았다.

"장전이 잘 안 되어 있군요. 또 한 발이 남아 있을 겁니다. 잘 고치십
시오. 나는 기다리고 있을 테니까."

그는 그녀와 두어 발짝 떨어진 곳에 서서, 이글이글 불타는 눈길로
그녀를 바라보며 기다리고 있었다.

갑자기 그녀는 권총을 내던졌다.

"버렸군."

스미드리가일로프는 놀란 듯이 외치며, 깊은 숨을 내쉬었다.

그리고 두냐 곁으로 다가가서 한 손으로 그녀의 허리를 감싸 안았다.
그녀는 반항하지 않았으나, 전신을 사시나무 떨 듯 하며 기도하는 눈으
로 그를 바라보고 있었다.

"놓아 줘!"

"그럼, 사랑해 주지 않는다는 말이군?"

두냐는 고개를 가로 저었다.

"…… 아무리 해도?"

"아무리 해도!"

스미드리가일로프의 마음속에서는 무서운 암흑의 순간이 지나갔다.
갑자기 손을 빼고 성큼 뒤로 돌아서더니, 그는 재빨리 창문 쪽으로 비
켜섰다.

"여기, 열쇠."

그는 외투 주머니에서 열쇠를 꺼내더니, 자기 뒤의 탁자 위에 놓았다.
그러더니 두냐 쪽은 돌아보지도 않고 말하였다.

"집으십시오. 그리고 빨리 나가 주세요."

그는 그 자리에서 움직이지 않고, 언제까지나 창을 바라보고 있었다.

두냐는 탁자로 다가가서 열쇠를 집으려 하였다.

"빨리! 빨리!"

여전히 돌아보지 않은 채, 스미드리가일로프는 그 말만 되풀이하였다. 그녀는 열쇠를 손에 집어들자, 문 앞으로 달려가서 재빨리 문을 열고 밖으로 뛰쳐나갔다.

야릇한 미소가 스미드리가일로프의 얼굴을 일그러뜨렸다. 참담하고 슬픈, 약하디 약한 미소, 절망의 미소가 떠올랐다.

두냐가 집어던져서 문 옆에 나뒹굴고 있는 권총이 문득 그의 눈에 띄었다. 그는 그것을 집어들고 훑어 보았다. 그 속에는 아직도 총알 두 개와 뇌관 하나가 남아 있었다. 아직도 한 번은 더 쏠 수 있었다.

그는 우뚝 서서, 피가 엉겨 붙은 이마를 쓸었다. 그리고 총부리를 머리에 갖다대고 방아쇠를 당겼다. 스미드리가일로프는 마침내, 이룰 수 없는 사랑을 비관하여 스스로 목숨을 끊었다.

자수를 결심

저녁 6시가 지나서 라스콜리니코프는 어머니와 누이동생의 집으로 발길을 옮겼다. 라즈미힌이 소개해 준 아파트였다.

그의 옷차림은 초라했다. 밤새도록 비에 젖어서 더러워지고, 군데군데 찢어져서 후줄근해 보였다.

그가 문을 두드리자 어머니가 문을 열어 주었다. 두냐는 집에 없었다.

"어머나, 얘야! 정말 잘 왔다."

어머니는 너무 기뻐서, 목이 메어 더듬는 목소리로 입을 열었다.

"로쟈, 눈물을 흘리다니! 정말 노여워 말거라. 그런데, 너는 왜 모습이 그렇게 초라하냐?"

"어머니, 저는 어제 빗속을 걸어다녔거든요."

라스콜리니코프가 말했다.

"저런! 우산도 쓰지 않고……."

어머니는 무척 안타까운 표정이었다.

"두냐는 집에 없어요?"

"나갔단다, 로쟈. 요새 그 아이는 집을 잘 비우고, 나를 혼자 내버려 둔단다. 하지만 고맙게도 라즈미힌이 자주 들러서 내 말상대를 해 주고, 언제나 너에 대해 자세히 이야기해 준단다."

어머니는 이렇게 말하고는 갑자기 의자에서 일어서며 말했다.

"커피가 있는데 대접도 하지 않고, 이게 늙은이 망령이라는 거야! 지금 바로 가져오마!"

"어머니, 제발 걱정하지 마세요. 저는 곧 갈 거예요. 저는 그래서 온 게 아니에요. 제 이야기나 들어 주세요."

어머니는 겁먹은 듯이 주춤주춤 옆으로 다가왔다.

"어머니! 무슨 일이 일어나더라도, 저에 대해 무슨 소문이 들려와도, 또 제 일을 남들이 뭐라고 하든 어머니는 지금과 마찬가지로 저를 사랑해 주시겠어요?"

"로쟈, 어째서 그런 말을 하는 거냐? 어째서 그런 일이 있을 거라고 말하는 거냐?"

"어머니, 저는 언제나 어머니를 사랑하고 있다는 것을, 어머니께 확실히 믿어 달라고 말씀드리러 온 겁니다. 저는 무슨 일이 있어도 어머니를 사랑하지 않는 일은 결코 없습니다."

어머니는 말없이 아들을 으스러지도록 자기 가슴에 꼭 껴안으며 조용히 울었다.

"나는 그 동안 줄곧 네가 우리를 성가시게 여기고 있는 줄로만 알았다. 그런데 이제, 네게 커다란 슬픔이 있어서, 그 때문에 괴로워하고 있다는 것을 알았다. 그런데 로쟈! 너 어디 먼 곳으로 여행이라도 갈 작정이냐?"

"예, 그렇습니다."

"나도 그렇게 생각했다. 나도 너만 좋다면 함께 갈 수 있단다. 두냐도 그렇고. 그 아이는 너를 사랑하고 있어. 무척이나 사랑하고 있단다. 그리고 소냐도 함께 데리고 가자. 그렇게 하는 것이 좋을 것 같으면 말이다."

"어머니, 안녕히 계십시오."

"뭐라고? 그럼, 오늘 당장에!"

어머니는 영원히 아들을 잃은 것처럼 슬픈 목소리로 외쳤다.

"시간이 없습니다. 저는 지금 가지 않으면 안 됩니다."

"나도 함께 갈 수 없니?"

그는 어머니 앞에 몸을 던지고 그 발에 입을 맞추었다. 어머니는 이제 놀라지도 않고 또 장황하게 물어 보지도 않았다. 어머니는 이미 훨씬 전부터 자기 아들의 신상에 무언가 무서운 순간이 닥쳐왔다는 것을 분명히 깨달았던 것이다.

"로쟈, 귀여운, 귀여운 나의 로쟈!"

어머니는 흐느껴 울면서 말했다.

"하지만 설마 지금 당장 떠나 버리는 것은 아니겠지?"

"아닙니다."

"로쟈, 노엽게 여기지 말아 다오. 나는 귀찮게 자꾸 묻고 싶지는 않다만, 너 아주 먼 곳으로 가는 거냐?"

"네, 아주 먼 곳입니다."

"그럼 거기서 일을 한다든가, 출세의 길이 있다든가, 뭐 그런 거라도 있는 거냐?"

"모든 게 하느님의 뜻입니다. 다만 저를 위해 기도해 주세요."

라스콜리니코프는 문 쪽으로 발길을 돌리려 했다. 그러자 어머니가 그를 붙잡고 절망적인 눈길로 그의 눈을 바라보았다. 어머니의 얼굴은 공포로 인하여 흉하게 일그러졌다.

"이게 마지막은 아니겠지? 너는 다시 와 주겠지? 내일이라도 와 주겠지?"

"옵니다, 오겠어요! 그럼 안녕히 계십시오."

그는 드디어 어머니를 뿌리치고 밖으로 뛰쳐나왔다.

라스콜리니코프는 자기 하숙집으로 돌아가고 있었다. 그는 걸음을 재촉하였다. 자기 방 앞에 이르러 문을 열자 두냐가 와 있었다.

그녀는 혼자서 깊은 생각에 골몰하여 앉아 있었다. 상당히 오랫동안 그를 기다리고 있었던 모양이었다.

그는 문 앞에 멈춰 섰다. 두냐는 흠칫 놀란 듯이 긴 의자에서 일어나 그의 앞에 우뚝 섰다. 가만히 오빠의 얼굴로 쏠린 그녀의 눈길은 공포와 사라질 길 없는 슬픔으로 가득 차 있었다. 이 눈길만으로도 그는 곧 모든 것을 그녀가 알고 있음을 깨달았다.

"나는 하루 종일 소냐한테 가 있었어요. 우리는 오빠를 기다리고 있었어요. 오빠가 꼭 들를 거라고 생각했기 때문에……."

라스콜리니코프는 방 안에 들어서자, 지친 듯이 의자에 털썩 주저앉았다.

"도대체 밤새 어디 계셨어요?"

"잘 기억나지 않는데, 어쨌든 마지막 결심을 하려고 몇 번이나 네바 강변을 헤매고 다녔어. 그것만은 생각이 나! 나는 거기서 모든 것을 죽음으로 해결해 버리려고 했는데 결심이 서질 않았어."

"정말 잘했어요. 우리도 그걸 얼마나 걱정했는지 몰라요. 그럼 오빠는 아직 삶을 믿고 있는 거죠? 참 잘했어요!"

라스콜리니코프는 쓴웃음을 지었다.

"나는 믿지 않았어. 하지만 지금 어머니와 부둥켜안고 함께 울고 왔단다."

"엄마한테 갔다 왔어요? 그래서 어머니한테 모두 말씀 드렸나요?" 두냐가 소리쳤다.

"아니, 말하지 않았다. 그런데 어머니는 대강 짐작하고 계신 것 같았어. 나는 정말 한심한 인간이야."

"한심한 인간이라니요? 하지만 이미 고통을 받으러 갈 각오가 되어 있는 거지요? 오빠는 가실 거죠?"

"간다, 지금 곧!"

잠시 침묵이 흘렀다. 그는 풀이 죽어, 앉은 채로 마룻바닥을 뚫어지게 바라보았다. 두냐는 탁자 끝머리에 서서 괴로운 듯이 그를 바라보고 있었다. 그는 갑자기 일어섰다.

"아아, 늦었어! 벌써 시간이 다 됐어. 나는 곧 자수하러 갈 거야. 그러나 뭣 때문에 자수하러 가는지는 나도 잘 모르겠어."

커다란 눈물 방울이 그의 볼을 따라 줄줄 흘러내렸다.

"두냐, 너는 울고 있구나! 내게 네 손을 쥐게 해 줄래?"

"오빠는 그런 것까지 의심하세요?"

두냐는 와락 오빠를 끌어안았다.

"오빠는 이제 고통을 받으러 가는 건데요. 이미 죄의 반쯤은 씻어 버린 것 아니겠어요?"

그녀는 오빠를 껴안고 입을 맞추며 소리쳤다.

"죄? 무슨 죄?"

그는 갑자기 뜻하지 않은 흥분에 휩쓸려 외쳤다.

"그것은 내가 밉고, 더럽고, 모든 사람에게 해를 끼치는 이 같은 존재를, 가난뱅이의 생피를 빨아먹는 노파를 죽인 것만으로도. 나는 마흔 가지의 죄를 용서받아야 하는데…… 그런데 그게 죄란 말이야?"

"오빠, 오빠는 지금 무슨 말씀을 하시는 거예요? 하지만 오빠는 피를 흘렸잖아요."

그는 자기도 모르는 사이에 두냐와 시선을 마주쳤다. 그 눈길에는 자기에 대한 깊고 깊은 고뇌가 담겨 있었다.

"만일 내게 죄가 있다면 제발 용서해 다오. 그럼, 잘 있어! 이제 이론은 그만두자! 제발, 어머니 곁을 단 1분이라도 떠나지 말아 다오. 어머니 곁에 있어 줘! 모든 일은 라즈미힌이 잘 돌봐 줄 거야. 나 때문에 슬퍼하지 말아라. 나는 살인을 했어도, 평생을 두고 용기 있고 정직한 인간이 되도록 노력할 테니까."

두 사람은 밖으로 나왔다. 두냐는 괴로웠으나, 오빠를 사랑하고 있었다. 그녀는 걷기 시작했다. 그녀는 쉰 걸음쯤 걸어가다가 다시 한 번 오빠를 보려고 뒤돌아보았다. 아직도 그의 모습은 보였다. 그녀가 모퉁이까지 가자 그도 뒤돌아보았다. 두 사람은 마지막 눈길을 나누었다. 라스콜리니코프는 어서 가라는 듯이 손을 흔들어 보였다. 그리고 자신은 훌쩍 모퉁이를 돌아가 버렸다.

소냐의 십자가

라스콜리니코프가 소냐의 방에 들어갔을 때는 이미 사방이 어두워지고 있었다.

소냐는 온종일 불안감 때문에 마음을 죄면서 그를 기다리고 있었다. 두냐가 돌아가고 혼자 있게 되자, 소냐는 문득 그가 정말로 자살해 버린 게 아닐까 하는 두려움으로 가슴이 답답하였다.

그 때 라스콜리니코프가 들어왔다.

"어머나, 돌아와 주셨군요!"

기쁨에 넘치는 외침이 그녀의 가슴 속에서 흘러나왔다. 그러나 그의 얼굴을 한참 바라보던 그녀의 얼굴은 점점 창백해졌다.

라스콜리니코프는 엷은 웃음을 띠며 말했다.

"나는 당신의 십자가를 받으러 왔어."

소냐는 깜짝 놀라서 그를 쳐다보았다. 그녀에게는 이런 말투가 이상하게 들렸다.

"소냐, 나는 아무래도 그렇게 하는 게 나을 것 같아. 그렇지만 포르피리에게는 가지 않아. 그 녀석에게는 이제 진저리가 나서 말이야. 나는 그보다 내 친구 자묘토프에게 가겠어. 그 편이 나을 것 같아. 그보다 십자가는 어디에 있지?"

그는 제정신이 아닌 것같이 보였다. 그의 손도 가늘게 떨리고 있었다.

소냐는 말없이 상자 속에서 삼나무와 구리로 된 두 개의 십자가를 꺼내 성호를 그었다. 그러고는 그에게도 성호를 그어 준 다음, 그의 가슴에 삼나무로 된 십자가를 걸어 주었다.

"결국 이것이 십자가를 짊어진다는 상징이로군! 하하하! 마치 뭐라고 할까? 지금까지는 나에게 괴로움이 모자랐다고 하는 것 같군."

"단 한 번이라도 좋으니, 성호를 긋고 기도 드려 주세요."

겁먹은 목소리로 소냐가 애원하였다.

"아아, 좋아. 그런 것쯤은 몇 번이라도. 당신의 마음이 풀릴 만큼."

그는 몇 번이고 성호를 그었다. 소냐는 자기 숄을 들더니 그것을 머리에 썼다. 그는 흠칫하였다. 소냐가 자기와 함께 가려고 하는 것이 그를 놀라게 하였다.

"왜 그러지, 당신은? 당신은 어디를 가려는 거야? 그만 둬, 제발 그만 뒤! 나는 혼자 갈 테야."

그는 화를 내듯 소리치며 문 쪽으로 발길을 돌렸다.

"이런 일에, 어째서 이런 동행이 필요하지?"

그는 나가면서 중얼거렸다.

소냐는 방 한가운데 혼자 남았다. 그는 그녀에게 작별 인사조차 하려 하지 않았다. 그는 이미 그녀에 대한 것조차 잊고 있었다.

'이렇게 하는 것이 옳은가?'

그는 계단을 내려오면서 다시금 이런 생각을 하였다.

'모든 일을 처음부터 다시 시작할 수는 없을까? 그리고 가지 않고 끝 내 버리면 안 될까?'

그러면서도 그는 역시 걸어가고 있었다. 거리에 나오자 그는 강둑을 걸어갔다. 이제 갈 길은 멀지 않았다. 그런데 다리 앞에 이르자, 그는 발길을 멈추고 갑자기 옆길로 빠져서 시장 쪽으로 걸어갔다.

'아아! 1주일, 아니면 한 달이 지난 후에 나는 죄수 호송 마차에 실려 서, 이 다리를 지나 어디론가 끌려가겠지. 나는 어떤 심정으로 이 강 변을 바라보게 될까?'

그는 시장으로 들어갔다. 그는 사람들과 부딪치는 게 싫었다.

그런데 그가 광장 복판까지 갔을 때, 갑자기 소냐가 한 말이 생각나 서 그는 온몸을 부들부들 떨었다. 눈물이 폭포처럼 흘렀다. 그는 선 채 로 땅 위에 쓰러져 엎드렸다.

라스콜리니코프는 광장 한복판에 무릎을 꿇고, 땅 위에 엎드려 그 더 러운 땅 위에 입을 맞추었다.

"야아, 주정뱅이다!"

그의 옆에서 한 젊은이가 말했다.

"와아!"

사방에서 폭소가 터져 나왔다.

이미 혀끝까지 나와 있던 '저는 사람을 죽였습니다.' 하는 말은 그대로 사라지고 말았다. 그는 외침소리를 뒤로 하고, 경찰서 쪽을 향하여 걸어갔다.

얼핏 돌아보니 저 앞쪽에 소녀의 모습이 보였다. 그녀는 시장에 세워진 목조 바라크 건물 뒤에서, 그가 보지 못하도록 몸을 숨기고 있었다.

그러고 보니, 그녀는 쭉 그의 슬픈 걸음을 지켜보며 따라왔던 것이다.

라스콜리니코프는 그 순간, 소녀는 영원히 자기를 떠나지 않을 거라는 걸 느꼈다. 그러나 그는 이미 숙명의 장소에 이르고 있었다.

그는 제법 힘차게 구내로 들어갔다. 그의 다리는 마비되어 뻣뻣했으나, 그래도 힘을 내어 3층까지 올라가야 했다.

3층에 도착하자, 그는 등골이 오싹해지며 온몸에 소름이 끼쳤다. 겨우 정신을 차리고 경찰서 문을 열었다. 경찰서 안에는 사람이 별로 없었다. 그는 다음 방으로 들어갔다.

"아무도 안 계십니까?"

"아, 맞아! 러시아 사람 냄새가 난다. 잘 기억은 안 나지만. 아니, 잘 오셨습니다."

갑자기 귀에 익은 목소리가 들려 왔다. 돌아보니, 바로 부서장인 일리야 페트로비치 경감이었다.

라스콜리니코프는 자기도 모르게 몸이 부르르 떨렸다.

"우리한테 오셨나요? 무슨 용건으로……."

경감은 소리쳤다.

"라스콜리니코프입니다."

"라스콜리니코프! 아니 당신은, 내가 잊었다고 생각할지도 모릅니다. 그러나 저를 그런 사람으로는 생각하지 말아 주십시오!"

그는 미소를 띠며, 계속 말했다.

"나는 그 일을 계속 미안하게 생각하고 있습니다. 나중에 알았는데, 당신은 문학을 한다더군요. 하기야, 문학이건 학자이건 그 중에는 유별난 출발점을 갖는 이도 있겠지요. 실은, 나는 댁으로 가서 사과를 하려고 했어요. 그런데 그만 시간이 없어서……."

그렇게 말하면서 경감은 날카로운 시선으로 라스콜리니코프의 창백한 얼굴을 살폈다.

"참, 당신은 무슨 볼일로 오셨나요?"

"아니, 저는 잠깐……. 뭐 좀 알아볼 게 있어서요. 자묘토프는 어디 있습니까?"

"참, 그렇군요. 두 분은 친구 사이라고 했지요. 자묘토프는 지금 여기 없습니다. 다른 곳으로 갔습니다."

"다른 곳으로요?"

"그 친구, 전근해 가면서 여러 사람과 싸움을 하고 소란을 피웠습니다. 정말 무례했어요. 경솔한 젊은이였어요. 그래도 제법 장래성은 있어 보였는데! 요즘은 허무주의자가 멋대로 늘어나고 있습니다만, 그것도 무리가 아니죠. 시대가 시대이니만큼. 그렇지 않습니까?"

라스콜리니코프는 아무 말없이 상대방을 바라보았다.

"그리고 또 한 가지, 요즘은 자살자가 늘어나고 있는데, 왜 그런지 혹시 아십니까? 오늘 아침에도, 최근 이 곳에 올라왔다는 신사에 대한 보고가 있었습니다. 이봐, 닐 파브리치! 아까 보고받은 페테르스부르크에서 권총 자살한 신사 이름이 뭐라고 했지?"

"스미드리가일로프입니다!"

누군가 다음 방에서 무뚝뚝하게 대답하였다.

"스미드리가일로프? 그가 권총 자살을?"

라스콜리니코프는 소리쳤다.

"아니, 당신이 그를 아십니까?"

"네, 알고 있습니다. 최근에 올라왔습니다."

"그렇습니다. 요즘에 올라왔습니다. 부인이 죽고, 소문이 좋지 않던 사나이였죠. 그 사나이는 돈도 꽤 있었던 모양입니다. 소냐라는 여자에게 3천 루블을 남겼어요. 그리고 그 여자의 동생들을 고아원에 맡기고, 고아원으로부터 보육비를 받았다는 영수증을 남겨 놓았어요."

"음, 소냐에게 돈과 영수증을……."

라스콜리니코프는 뜻밖의 새로운 사실에 놀라지 않을 수 없었다.

"당신은 그 사람을 어떻게 압니까?"

"저는 다만 아는 사이일 뿐이고, 제 누이동생이 그 댁에서 가정교사로 있었습니다."

"아, 그랬었군요. 그렇다면 당신은 그 사나이에 대해서 무엇이든지 말씀해 주실 수 있습니까?"

"아닙니다. 그 이상의 것은 모릅니다."

라스콜리니코프는 무엇인가가 자기 위로 떨어져 짓누르고 있는 듯한 느낌을 받았다.

"당신은 또 안색이 창백해지는군요. 아무튼 여기는 공기가 나빠서……."

"아아, 저는 이만 실례하겠습니다."

라스콜리니코프는 중얼거렸다.

"미안합니다. 뜻하지 않은 폐를 끼쳐서……."

"천만의 말씀을, 그건 염려 마시고 어서 돌아가십시오. 덕분에 즐거웠습니다."

경감은 악수를 청했다.

라스콜리니코프는 그 방에서 나왔다. 그는 비틀거렸다. 현기증이 나서 오른손으로 벽을 짚으면서 내려와 밖으로 나갔다.

그런데 그 입구에서 그리 멀지 않은 곳에 소녀가 서 있었다. 그녀의 얼굴에는 무엇인지 애처로운 듯한 절망적인 빛이 보였다.

그는 잠시 서 있다가 쓴웃음을 짓고는 다시 경찰서로 되돌아갔다.

일리야 페트로비치 경감은 자리에 앉아서 서류를 뒤적이고 있었다.

"아, 아니 뭘 잊고 갔습니까? 그건 그렇고 당신 왜 그러세요?"

라스콜리니코프는 핏기 가신 입술과 침착한 눈을 하고 조용히 그에게로 다가갔다. 그리고 책상이 있는 옆까지 가서, 거기에 한 손을 짚고 무엇인가 말하려고 하였다. 그러나 말이 나오지 않았다.

"기분이 언짢은 모양이군요. 여기 의자. 자, 이 의자에 앉으세요. 이봐, 물."

라스콜리니코프는 힘없이 의자에 주저앉았다. 그리고 경감의 얼굴을 뚫어지게 바라보았다. 두 사람은 잠시 서로의 얼굴을 마주 보며 기다리고 있었다. 이윽고 누군가가 물을 가져왔다.

"그건 내가……."

라스콜리니코프는 말을 꺼내려 하였다. 그러자 경감이

"물부터 드시지요."

하고 물을 권하였다.

라스콜리니코프는 한 손으로 그 물을 밀쳐 놓고 조용히 사이를 두면서 분명하게 말했다.

"나는 그 때, 관리의 미망인 노파와 그의 동생 리자베타를 도끼로 죽이고, 돈과 물건을 훔쳤습니다."

순간 경감은 입을 딱 벌렸다. 사방에서 사람들이 모여들었다.

라스콜리니코프가 범행을 저지른 지 거의 1년 반이 되어가고 있었다.

판결은 범죄의 정도에 비해, 상상했던 것보다 훨씬 관대하였다. 그것은 그가 자신을 변호하지 않았을 뿐만 아니라, 도리어 자기 자신이 스스로 무거운 벌을 받기를 원했기 때문이었다.

거기다가 범행을 저지를 때까지 그의 심리 상태가 애처로울 정도로 병적이었다는 것도 의심할 여지가 없었다. 또 그가 훔친 물건을 이용하지 않았다는 사실은, 한편으로는 그가 크게 뉘우치고 있었다는 판단을 받았다. 그리고 한편으로는 범행 당시의 정신 상태가 완전히 건강하지 않았다는 점이 인정되었다.

그 밖에, 광신자 니콜라이의 거짓 자백으로 인하여 사건이 뒤얽혀서 말썽이 많을 때에 자수해 왔다는 것이 유리하게 작용하였다.

그리고 또한 예심판사 포르피리 페트로비치가 약속을 지켜, 그의 벌을 가볍게 하려고 노력한 것도 큰 힘이 되었다.

그리하여 라스콜리니코프는 제 2급의 징역을 선고받고, 불과 8년이라는 비교적 가벼운 형벌을 받았다. 이것으로 모든 결말이 난 것이었다.

시베리아의 끝없이 넓은 강변 기슭에 러시아 행정 중심의 하나로 되어 있는 마을이 있었다. 마을에는 요새가 있고, 요새 안에는 감옥이 있었다. 이 감옥에 징역 8년의 제 2급 죄수 라스콜리니코프는 죄수복을 입고 수감되었다.

한편, 소냐는 스비드리가일로프가 남겨 준 돈으로 간단한 준비를 갖추고, 죄수 호송 마차의 뒤를 따랐다. 그녀의 가슴 속에는 8년 후의 희망찬 새 생활이 무지개 빛처럼 아로새겨지고 있었다.

라스콜리니코프가 시베리아 감옥으로 수감된지 2개월 후, 두냐와 라즈미힌의 결혼식이 있었다. 결혼식은 슬프고도 쓸쓸하였다. 그래도 초대된 손님들 중에는 포르피리 페트로비치와 조시모프의 모습도 보였다.

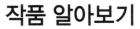

작품 알아보기
(장편문학)

〈죄와 벌〉은 가난한 대학생 라스콜리니코프의 병적인 사색에서 시작한다. 그는 나폴레옹 같은 선택된 강자는 인류를 위하여 사회의 도덕률을 딛고 넘어설 권리가 있다는 결론에 도달한다. 따라서 목적이 선이면 수단은 악이어도 용납된다는 생각에 고리대금업자 노파를 죽여 버림으로써 자신이 믿고 있는 이론을 실천에 옮긴다. 하지만 곧 죄의식에 사로잡히게 되고, 거리의 여자 소냐를 만나 죄를 고백하면서 진심으로 자기 죄를 후회하게 된다.

이 작품에는 당시 비참한 생활을 하던 최하 빈민층과 지식인 라스콜리니코프의 고뇌가 잘 드러나 있다. 또한 소냐는 종교에 의한 구원을 상징하는 인물로, 라스콜리니코프가 극단적인 사상을 버리고 잘못을 뉘우치는 데 결정적인 역할을 한다. 도스토예프스키는 결국 신앙의 입장에서 서구의 합리주의와 혁명사상을 단죄하고 진정한 구원은 신앙으로 가능하다는 말을 하고 있는 듯이 보인다. 하지만 이 작품은 그러한 의도를 뛰어넘어 인간 회복에의 소망을 호소하는 휴머니즘을 여실히 느낄 수 있으며, 그렇기 때문에 세계 최고의 문학으로 평가받고 있는 것이다.

논술 길잡이
(장편문학)

❶ 라스콜리니코프가 전당포 노파를 죽인 이유는 무엇인가?
그 이유를 쓰고, 라스콜리니코프의 이런 행동에 대해 어떻
게 생각하는지 써 보자.

....

....

....

....

❷ 스미드리가일로프는 부인을 독살하고 소녀를 협박하다가
결국 스스로 목숨을 끊는다. 스미드리가일로프가 파멸에 이
르게 된 궁극적인 이유는 무엇인지 쓰라.

....

....

....

....

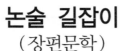

논술 길잡이
(장편문학)

❸ 다음은 라스콜리니코프의 생각을 나타낸 것이다. '살 가치가 없는 사람을 죽이는 것은 죄가 아니다.' 라는 명제에 대해 찬성과 반대로 나누어 토론을 해 보고, 자신의 생각을 정리해서 적어 보자.

"그것은 내가 밉고, 더럽고, 모든 사람에게 해를 끼치는 이 같은 존재를, 가난뱅이의 생피를 빨아먹는 노파를 죽인 것만으로도. 나는 마흔 가지의 죄를 용서받아야 하는데……. 그런데 그게 죄란 말이야?"

논술 길잡이
(장편문학)

❹ 아래 그림은 라스콜리니코프가 소냐에게 자신의 죄를 고백
하자, 소냐가 라스콜리니코프를 위로하며 십자가 목걸이를
건네주는 장면이다. 소냐는 어떤 사람인지 생각해서 써 보
자.

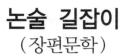

논술 길잡이
(장편문학)

❺ 이 소설은 라스콜리니코프가 자수를 해서 시베리아 감옥에 수감되는 것으로 끝난다. 이러한 결말을 통해 작가가 말하고자 하는 것은 무엇인지 써 보자.

----

❻ 도스토예프스키의 생애와 이 작품과의 관련성에 대해 써 보자.

논·술·세·계·대·표·문·학 〈전60권〉

펴 낸 이   정재상
펴 낸 곳   훈민출판사
주   소   경기도 고양시 덕양구 원당동 416번지
대 표 전 화 (031)962-3888
팩   스   (031)962-9998
출 판 등 록 제395-2003-000042호

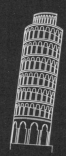